# Une Réplique comique par jour

# UNE RÉPLIQUE COMIQUE PAR JOUR

Vincent PERROT

# Introduction

Cette collection, consacrée aux grands dialogues du cinéma, constitue, par ces deux premiers volumes, *Une Réplique comique par jour* et *Une Réplique qui tue par jour*, un début de synthèse des plus illustres phrases du cinéma français. Mais elle symbolise avant tout, un hommage respectueux à leurs auteurs. Des magiciens du langage dont on mentionne si rarement les noms, même quand certaines de leurs trouvailles passent à la postérité ou dans le langage courant. Sans les dialoguistes, le 7ème art ne serait-il pas qu'un avion sans ailes, un pétard sans mèche, une guitare sans cordes, un couscous sans semoule, un gratte-ciel sans ascenseur ou un impuissant sans Viagra ?

Avant de vous plonger dans les dialogues les plus drôles, *flash back* sur une petite histoire du cinéma parlant. Moteur !

Après 35 ans de projections muettes ou parfois accompagnées d'un simple piano, les plans animés trouvèrent la parole grâce à divers procédés techniques, permettant enfin de synchroniser images et son sur la même pellicule. En 1927, le premier film officiellement parlant et chantant fut *Le Chanteur de jazz* (*The Jazz Singer*). Mais au commencement, les professionnels restèrent sceptiques et crurent surtout à une curiosité anecdotique sans avenir, devant les balbutiements de ce cinéma qui débitait des torrents d'inepties et permit à de nombreuses stars du muet de se rendre compte que leurs voix exécrables ridiculisaient leur physique de vamps ou de héros. *Chantons sous la pluie* (*Singin'in the Rain*, 1952) décrivait avec humour cette période passionnante du passage du cinéma muet au parlant et démontra que l'apparition des micros sur les plateaux de tournage fut un tournant majeur et définitif.

Dans les années 1930, les premiers dialogues étaient souvent écrits sans nuances et maladroitement interprétés par des acteurs au phrasé trop théâtral, mais le cinéma ne parla pas longtemps pour ne rien dire. La majorité des œuvres de cette période étaient des adaptations de romans populaires (Pierre Mac Orlan, Jules Renard, Gaston Leroux ), de pièces classiques ou contemporaines (Marcel Pagnol, Maxime Gorki, Alfred Capus ) et parfois d'opérettes très en vogue à l'époque. Dans un premier temps, c'est grâce à l'adaptation de ces œuvres préexistantes que le jeune cinéma parlant trouva... les mots pour le dire.

Le cinéma parlant et musical s'avéra ne pas être un phénomène de mode marginal condamné à court terme, mais bel et bien un nouveau départ du 7ème art. Un avenir inévitable, même si certains cinéastes dont Charlie Chaplin, continuèrent à réaliser des chefs d'œuvres tout en se montrant récalcitrants vis-à-vis de ces « mots inutiles ».

La France s'engouffra alors dans la brèche et les premiers « dialoguistes » étaient en fait les réalisateurs qui assuraient le spectre total du processus créatif de leur film : scénario, adaptation, mise en scène et désormais les dialogues. Dès 1930, ce fut le cas de René Clair (*Sous les toits de Paris, Quatorze juillet*…), Jean Renoir (*La Chienne, Boudu sauvé des eaux*), Jean Vigo (*L'Atalante*), Jacques Feyder (*Le Grand jeu*), Claude Autant-Lara (*Ciboulette*), Julien Duvivier (*La Bandera*), Sacha Guitry (*Le Roman d'un tricheur*)…

Parallèlement aux musiciens désormais spécialisés dans la composition pour l'image (Jaubert, Wiener, Van Parys, Kosma, Auric, Misraki ), le premier dialoguiste important du cinéma français fut

Charles Spaak. Il s'imposa d'emblée comme le scénariste-dialoguiste le plus prolifique du cinéma réaliste des années 1930 et 1940, aux côtés de Jacques Prévert et Henri Jeanson, lequel fut le premier à truffer ses dialogues de formules marquantes et trouvailles humoristiques. Considéré comme le père spirituel de Michel Audiard, Henri Jeanson est l'auteur qui grâce à ses dialogues légendaires pour *Pépé le Moko, Entrée des artistes* ou *Hôtel du nord*, a bénéficié du titre officieux d'homme qui a « appris à parler au cinéma français. ».

Grâce à leur sens inné des « mots pour l'image », Jean Cocteau (*L'Éternel retour*), Jacques Companeez (*Casque d'or*) ou Auguste Le Breton (*Bob le flambeur*), complétèrent le quatuor incontournable composé du duo « Jean Aurenche / Pierre Bost » (*Les Orgueilleux, La Traversée de Paris, En cas de malheur* ), Charles Spaak et Henri Jeanson, lesquels régnèrent sur le cinéma français jusqu'à l'arrivée de celui qu'André Pousse surnommait affectueusement « le p'tit cycliste », Michel Audiard.

Avec l'écriture d'une centaine de scénarii et dialogues entre 1950 et 1985, Audiard apporta un nouveau souffle dans le « classicisme » ambiant, se montrant tout aussi à l'aise dans l'univers populaire de *Rue des prairies* avec Gabin (1959), l'humour décalé des *Tontons flingueurs* (1963) de Lautner ou l'extrême précision finement ciselée de *Garde à vue* (1981) pour Serrault et Ventura.

Malgré la nouvelle vague qui tenta de perturber le cinéma français des années 1960, Audiard cohabitera durant trente-cinq ans avec d'autres ténors du verbe : son complice Albert Simonin, Daniel Boulanger, José Giovanni, Jacques Vilfrid, Paul Gégauf, Marcel Jullian, Jean-Loup Dabadie, Jean-Claude Carrière, Francis Veber, Jean Curtelin, Pascal Jardin, Danièle Thompson, Jean-Marie Poiré,

Christopher Franck... Cette liste non exhaustive ne peut omettre de décerner une mention d'honneur à la plume redoutablement efficace et caustique de l'unique et immense Bertrand Blier.

Les générations plus récentes révèlent les noms de l'équipe du Splendid en groupe ou en solo et de très prometteurs auteurs-réalisateurs tels Jacques Fieschi, Cédric Klapish, Léa Fazer, Albert Dupontel, Valérie Guignabodet, Rémi Bezançon, Isabelle Mergault, Rémi Watherhouse, Alexandra Leclère ou Serge Frydman.

Avec le précieux concours de Sophie Boyens, jeune cinéphile compulsive belge, nous avons « écouté » plus de 500 films de 1931 à nos jours, à la recherche de 365 pépites. Les répliques les plus drôles, cocasses, toutes amusantes et parfois facétieuses, mais à coup sûr inoubliables !

***Vincent Perrot***

# Réputation internationale !

Osamu Tsuruya à Jean Reno dans ***Wasabi*** (2001).

*(À la douane aérienne japonaise...)*

— Monsieur, vous arrivez d'où, s'il vous plaît ?
— De l'avion.
— Vous devez être Français pour avoir un sens de l'humour aussi développé…

Réalisé par Gérard Krawczyk, scénario de Luc Besson. 

# Joyeux Noël Pierre !

Anémone à Thierry Lhermitte dans ***Le Père Noël est une ordure*** (1982).

*(Anémone lui offre un paquet cadeau…)*

— Vous n'ouvrez pas ?
— Si, bien sûr, mais de l'extérieur, c'est magnifique. Oh ! *(Il sort le cadeau…)* Ah ! (*Dubitatif…*) Oh ! Une serpillière, c'est formidable Thérèse ! Je suis ravi écoutez.
— Non Pierre, c'est un gilet !
[…]
— Si vous saviez ce que ça tombe bien, je me disais encore hier soir qu'il manquait quelque chose pour descendre les poubelles…

Réalisé par Jean-Marie Poiré. Adaptation et dialogues de Jean-Marie Poiré et Josiane Balasko, Marie-Anne Chazel, Christian Clavier, Gérard Jugnot, Thierry Lhermitte et Bruno Moynot, d'après la pièce éponyme par l'équipe du Splendid. 

## Hein ?

Dany Boon à Kad Merad dans ***Bienvenue chez les ch'tis*** (2008).

C'est pas compliqué de parler le ch'timi.
Par exemple, nous autres, on dit pas :
"*Pardonnez-moi, je n'ai pas bien saisi le sens de votre question.*" On dit : "Heiiiin ?".

Réalisé par Dany Boon, scénario et dialogues de Dany Boon, Franck Magnier et Alexandre Charlot d'après une idée originale de Dany Boon. 

## 4 tiers = 5 quarts ou les secrets de l'arithmétique !

Raimu à Pierre Fresnay dans ***Marius*** (1931).

— C'est pourtant pas difficile, voyons. Tiens, regarde. Tu mets un tiers de curaçao, un tout petit tiers… Un tiers de citron... Un bon tiers de Picon… Tu vois ? Et alors, un grand tiers d'eau. Voilà !

— Et ça fait quatre tiers…

— Et alors ?

— Ben, dans un verre, y'a que trois tiers.

— Mais imbécile, ça dépend de la grosseur des tiers !

Réalisé par Alexander Korda et écrit par Marcel Pagnol d'après son œuvre. 

## Désespérée !

Marilou Berry à Virgine Desarnauts dans ***Comme une image*** (2004).

*(Elle se trouve un peu enrobée…)*

— Y'a rien à ma taille !
— Bon, ben essaie au moins celui-là. Moi je suis sûre que ça t'ira super bien. Non, tu veux pas ?
— Pfff ! Je sais même pas si je rentre dans la cabine !

Réalisé par Agnès Jaoui, scénario de Agnès Jaoui et Jean-Pierre Bacri. © Les Films A4/Studiocanal/France 2 Cinéma/Eyesceen.

# My cousin is very rich !

José Garcia parlant de Gilbert Melki dans ***La Vérité si je mens !*** (1997).

*(Parlant de son cousin à qui il veut demander de lui prêter de l'argent…)*

Quand je pense qu'il est milliardaire en dollars. Qu'est-ce que c'est pour lui trente mille balles, sans déconner ? Des pois chiches dans le couscous !

Réalisé par Thomas Gilou. Scénario, adaptation et dialogues de Gérard Bitton et Manuel Munz. Vertigo Production/France2 Cinéma/M6 Films/Orly Films/Les Productions Jacques Roitfeld.

# Du tac au tac !

Thierry Lhermitte à Pierre Cognon dans ***Le Zèbre*** (1992).

*(Chez le notaire pour établir leur contrat de mariage…)*

— Vous aimez-vous passionnément, à la folie ?
Vous sentez-vous capables de ranimer la flamme de votre passion à toute heure du jour ? Vous, Monsieur, d'être avec votre épouse, charmant, baroque, fascinant et inattendu en permanence ?
— Il faut répondre maintenant ?

Réalisé par Jean Poiret, scénario et dialogues de Jean Poiret, adaptation de Jean Poiret et Martin Lamotte d'après le roman d'Alexandre Jardin. 

## Fructis ? Schwarzkopf ? Head and Shoulders ?

Gad Elmaleh à Anne Marivin dans ***Chouchou*** (2003).

— J'ai besoin aussi d'un bon shampoing.
— Bien sûr, pour quel type de cheveux ?
— Euh ! Cheveux sales…

# Famille décomposée !

Pierre Martin-Laval à Marina Foïs dans ***RRRrrrr !!!*** (2003).

*(Parlant à sa femme…)*

— Reste-là, ça peut être dangereux. Si je reviens pas, je te laisse la garde des enfants.
— On en a pas…
— Ben comme ça, ça te laissera du temps libre !

Réalisé par Alain Chabat. Scénario et dialogues des Robin des bois avec la collaboration de Alain Chabat.

# Jeanne Calment l'avait déjà dit

Katarina Doorman dans ***Pédale douce*** (1996).

Comme je le dis souvent, je n'ai qu'une seule ride, et je suis assise dessus !

Réalisé par Gabriel Aghion, scénario de Gabriel Aghion, adaptation de Gabriel Aghion et Patrick Timsit, dialogues de Pierre Palmade. 

## Climat hostile !

Robert Hossein dans ***La Petite Vertu*** (1967).

J'reviens de l'enfer ! Le Canada, tu sais ce que c'est ? Moins 40 en hiver. Des vents de 150 kilomètres chrono. Tu traverses la rue… T'es emporté. On te retrouve qu'au printemps !

Réalisé par Serge Korber. Dialogues de Michel Audiard. 

## Vive les voyages !

Coluche à Valérie Mairesse dans ***Banzaï*** (1983).

Le monde est un vaste bouillon de culture purulent ! Alors, du Kenya tu ramènes la gangrène, en Turquie y'a les prisons, en Afrique t'as les amibes, en Amérique du Sud, la malaria… Tu vois, y'a que chez soi qu'on est en sécurité !

Écrit et réalisé par Claude Zidi. Adaptation et dialogues de Didier Kaminka, Michel Fabre et Claude Zidi.

013

## L’amour est dans le pré !

Dominique Pinon à Isabelle Nanty dans ***Le Fabuleux Destin d’Amélie Poulain*** (2001).

— Vous permettez… Vous avez un petit quelque chose, là. (*Il touche le haut de son corsage*…) Qu’est-ce que vous êtes belle Georgette quand vous rougissez… On dirait une fleur des champs.
— C’est mon aérophagie…

## Femme très libérée !

Philippe Lefebvre à Aure Atika dans ***OSS 117 : le Caire, nid d'espions*** (2006).

*(Aure Atika pointe un revolver sur Philippe Lefebvre.)*

— Le problème avec les femmes, c'est que dès que vous sortez de la cuisine…
— *(Elle tire.)* C'est pour faire le ménage !

Réalisé par Michel Hazanavicius, scénario de Jean-François Halin, d'après le roman éponyme de Jean Bruce, adaptation et dialogues de Jean-François Halin et Michel Hazanavicius. 

# Il faut vivre dangereusement !

Robert Dalban à André Weber dans ***Les Barbouzes*** (1964).

*(Deux tueurs à gage bavardent….)*

— Dans deux ans, au revoir m'sieurs-dames ! J'serai à l'échelon sept, les mômes seront élevés, j'ai ma cabane en Dordogne… La retraite faut la prendre jeune.
— Faut surtout la prendre vivant ! C'est pas dans les moyens de tout le monde…

Réalisé par Georges Lautner. Scénario de Michel Audiard et Albert Simonin, dialogues de Michel Audiard.

# La copine a le moral à zéro !

Gérard Lanvin à Michel Blanc dans ***Marche à l'ombre*** (1984).

— J'ai appelé une copine qui est un peu dépressive, alors si ça t'ennuie pas trop, je préfère aller la voir, ça peut l'aider. Elle est mannequin, c'est…
— Elle est plus mannequin que dépressive, non ?

Réalisé par Michel Blanc. Scénario de Michel Blanc et Patrick Dewolf, dialogues de Michel Blanc. 

# Avec un doberman ?

Philippe Giangreco dans ***Mon père, ma mère, mes frères et mes sœurs*** (1999).

Rappelle ton clebs ou je lui fourre ma main au cul et je m'en fait une moufle !

Réalisé par Charlotte de Turckheim, scénario de Charlotte de Turckheim et Philippe Giangreco, dialogues de Philippe Giangreco. Les Films des Tournelles/TF1 Films Production/M6 Films/SNC Productions/Marlix Production/Flamenco Films/Cartel.

# Enfin un compliment !

Jean Dujardin à Élisa Tovati dans ***99 francs*** (2005).

— Tu as de beaux cheveux…
— C'est des rajouts.
— Tu as de beaux yeux…
— C'est des lentilles.
— Tu as de beaux seins…
— C'est un Wonderbra.
— T'as de belles jambes…
— Ah, enfin un compliment !

Réalisé par Jan Kounen, scénario et dialogues de Nicolas & Bruno, adaptation de Jan Kounen avec la complicité de Fredéric Beigbeder, d'après son roman éponyme. 

# Jeu, set et match !

Jean Rochefort à Guy Bedos dans ***Un éléphant ça trompe énormément*** (1976).

— Qu'est-ce que t'as voulu faire ?
— Une sorte de lobe lifté…
— Ah ! Ouais, c'est marrant ça. T'as jamais su lifter et je t'ai demandé personnellement de ne pas lober cette semaine !

Réalisé par Yves Robert, scénario et dialogues de Jean-Loup Dabadie et Yves Robert. 

# Le poulet aux yeux rouges...

Grace de Capitani à Thierry Lhermitte dans ***Les Ripoux*** (1984).

*(Thierry Lhermitte s'est fait accidentellement aspergé d'un gaz paralysant anti-viol…)*

— Pour du gaz périmé, ça marche encore, quand même, hein !
— Oui, oui, oui ! Mais ça a perdu son pouvoir paralysant… Quand même. Ah !
— Vos yeux sont tout rouges. On dirait un lapin russe.
— Oh ! Ça secoue vous savez.
— Je suis désolée.
— C'est vrai que pour violer quelqu'un, après ça, faut être salement motivé. Je dis pas ça pour vous…

Réalisé par Claude Zidi, scénario et adaptation de Claude Zidi d'après une idée originale de Simon Mickael, dialogues de Didier Kaminka. 

## Cloclo for ever !

Christian Clavier à Jamel Debbouze dans ***Astérix & Obélix : mission Cléopâtre*** (2002).

— C'est quoi, cette lueur à l'horizon, Numérobis ?
— Les lumières du port d'Alexandrie…
— Font naufrager les papillons de ma jeunesse !

## La gaffe du siècle !

Jean Yanne à Josiane Balasko dans ***Les Acteurs*** (1999).

*(S'adressant à Josiane Balasko…)*

— Comment s'appelle cette… cette actrice, là, euh… comique… euh… une fille assez connue, elle a débuté au café théâtre avec la bande à Jugnot… euh… Blanc, Lhermitte… euh…
— Une grosse ?
— Oui, assez grosse, assez vulgaire.
— Balasko ?
— Ouais, Josiane Balasko !
— Oh ! Je l'ai jamais aimé celle-là !
— Ah si, elle est sympathique.
— Oh ! Une pute, oui !

Écrit et réalisé par Bertrand Blier. © Les films Alain Sarde/Plateau « A »/TF1 Productions/Les Studio Canal +.

# Mesdames et messieurs, bonsoir !

Thierry Lhermitte et Christian Clavier dans ***Les Bronzés*** (1978).

*(Deux allemandes se lèvent…)*

— Bonsoir, nous allons nous coucher.

*(Thierry Lhermitte et Christian Clavier se lèvent et en chœur…)*

— Bonsoir, nous allons les niquer !

# La Balance

Felix Marten à Jean Gabin dans ***Le Pacha*** (1968).

*(Un indic « balance » des infos au commissaire Gabin…)*

— Ce que je fais pour vous, hein… Je le ferai pour personne d'autre.
— Dis donc Ernest, entendons-nous bien. T'as besoin de moi, j'ai besoin de toi, on traite. Mais un casseur doublé d'une donneuse, tu ne voudrais tout de même pas que je t'embrasse !

Réalisé par Georges Lautner. Adapté du roman de Jean Laborde Pouce, par Michel Audiard et Georges Lautner, dialogues de Michel Audiard. 

## Le poids des remords...

Noël Roquevert à Paul Meurisse dans ***Le Majordome*** (1965).

— Peut-être me suis-je montré trop sévère autrefois. Peut-être ai-je fait condamner des innocents. J'ai mal à la conscience, Léopold.
— Ce n'est pas la conscience, Monsieur, c'est le foie.
— Le foie est peut-être le siège de la conscience, Léopold...
— Non Monsieur, ça se saurait depuis le temps.

Réalisé par Jean Delannoy et écrit par Henri Jeanson. 

## Sur une mélodie de Schubert !

Christian Clavier à Jacques Villeret dans ***L'Antidote*** (2004).

— Mais j'ai été marié, attention, hein !
— Ah bon ?
— Ah oui ! Pendant seize ans, avec Odette. Et puis un jour, pffut ! Elle est partie… Avec Simone.
— Avec Simone ? Ouh ! Ça a du vous mettre un coup ça…
— … Et puis, comme ma femme, elle voulait garder la truite…
— Quelle truite ?
— Ben Simone ! Simone, c'est la plus belle truite que j'ai jamais pêchée de ma vie… Elle avait un regard, une robe, enfin c'était… D'ailleurs, c'est la seule que j'ai jamais pu me résoudre à manger !

Réalisé par Vincent de Brus, scénario, adaptation et dialogues de Arnaud Lemort d'après un scénario original de Éric Besnard et Jacques Besnard. 

# Classe internationale…

Gérard Darmon à Chantal Lauby dans *La Cité de la peur* (1994).

— Vous voulez un whisky ?
— Juste un doigt.
— Vous ne voulez pas un whisky d'abord ?

Réalisé par Alain Berbérian, scénario de Alain Chabat, Dominique Farrugia, Chantal Lauby © Charles Gassot/ Dominique Brunner/Telema Smepa/Studio Canal +/France 3 cinéma/M6 Droits audiovisuels.

## La vanne de l'année !

Un flic à Gérard Depardieu et Stéphane Bierry dans ***Les Compères*** (1983).

*(Depardieu discutant avec un flic.)*

— La différence entre la vérole et une hirondelle ?
— Vas-y.
— Essaie donc d'attraper une hirondelle !
*(Rires, le flic s'en va.)*
— *(À son fils.)* Alors, ça te plaît le journalisme ?
— Si c'est échanger des plaisanteries foireuses avec un con de flic, c'est passionnant.

# Martienne ?

Fréhel dans ***Pépé le moko*** (1936).

J'ai toujours été battue ! Quand je faisais du caf'conc', mon ami qui était chanteur de charme, y me giflait parce que j'avais plus de succès que lui ! Paraît que j'ai une tête à claques... J'ai tout fait pour me changer. Je me suis teinte en rousse, en brune, en blonde, ça n'a rien donné. J'peux tout de même pas me teindre en vert !

Réalisé par Julien Duvivier, dialogues d'Henri Jeanson, scénario et adaptation de Jacques Constant, Julien Duvivier et Henri La Barthe, d'après son roman. 

# Alors, le vôtre ou le nôtre ?

Nicole Calfan à Gladys Cohen dans ***La Vérité si je mens ! 2*** (2001).

— Et… pour le traiteur, j'ai pensé qu'on pourrait prendre Lenôtre.
— Pourquoi pas. Et qui c'est ?
— Comment ?
— Le traiteur. Qui c'est ?
— C'est Lenôtre. Mais si vous préférez prendre le vôtre.
— Non, on a qu'à prendre le vôtre.
— Parfait.
— Alors ? C'est qui ?

Réalisé par Thomas Gilou, scénario de Michel Munz et Gérard Bitton. 

## Si c'est une fille qui le dit, alors...

Romain Duris à Cécile de France dans ***L'Auberge espagnole*** (2002).

— Je te jure c'était trop bon, comme dans les films. Au début elle était là genre, “Non, non, non…” , et puis après “Oui, oh oui, oui !” Incroyable ! Je savais même pas que ça existait comme ça.
— Tu vois, je t'avais dit, toutes des salopes !

# Une petite bise ?

Laurent Gamelon à Fabrice Luchini dans ***Confidences trop intimes*** (2004).

*(Lucchini bavardant avec le nouvel amant très « sportif » de son ex-femme…)*

— Paraît que t'es une super pointure dans ta branche.
— On se dit vous, ça sera plus simple.
— J'adore son humour ! Ça va le business, pas trop la pression ?
— Je ne comprends rien à ce qu'il me dit !
— (*À Anne Brochet.*) Allez, on y va ma puce, t'as ton cours de *Body Sculpt*. Bye !
*(Il lui broie la main en la lui serrant.)*
— La prochaine fois on s'embrasse, j'préfère…

Réalisé par Patrice Leconte, scénario et dialogues de Jérôme Tonnerre, adaptation de Jérôme Tonnerre et Patrice Leconte. 

033

## Non assistance à personne en danger

Michel Serrault à Ugo Tognazzi dans ***La Cage aux folles*** (1978).

Voilà, ça dégonfle déjà, ça sera rien du tout. Détends-toi, tu as été magnifique, merveilleux. Tu as été merveilleux, je suis fier de toi. Tu sais, il était ridicule ce grand type, quand il s'est assis sur toi pour te cogner la tête contre le carrelage… Il m'a fait pitié !

Réalisé par Édouard Molinaro, scénario et adaptation de Francis Veber, Édouard Molinaro, Marcello Danon et Jean Poiret d'après la pièce de Jean Poiret. 

## Du Poelvoorde, pur jus !

Benoît Poelvoorde dans ***C'est arrivé près de chez vous*** (1992).

L'amour laisse comme une traînée de souffre derrière lui, comme une odeur qui traîne. Et malgré tout, dès que tu rencontres quelqu'un, tu sens… Un peu comme quand tu vas pisser et que tu sens tes doigts.

Réalisé par Rémy Belvaux, André Bonzel, Benoît Poelvoorde, scénario et dialogues Rémy Belvaux, André Bonzel, Benoît Poelvoorde et Vincent Tavier. 

## Comme Laurel et Hardy, Roux et Combaluzier...

Édouard Baer à Nicolas Marais dans ***Le Bison*** (2003).

— Et les huissiers, c'est pour quoi ?
— Pour les sous, on doit beaucoup de sous. Comment, vous savez que c'était des huissiers ?
— Toujours par deux les huissiers, comme les couilles, les mormons, le sel et le poivre…

Réalisé par Isabelle Nanty, scénario, adaptation et dialogues d'Isabelle Nanty et Fabrice Roger Lacan. © Pathé Renn Productions/Hirsch/TF1 Films production.

## Question de survie !

Jean Gabin dans ***Le Gentleman d'Epsom*** (1962).

Dans la vie, il y a deux expédients à n'utiliser qu'en dernière instance, le cyanure ou la loyauté !

Réalisé par Gilles Grangier. Scénario de Michel Audiard, Albert Simonin et Gilles Grangier, dialogues de Michel Audiard. 

## Les deux pour le prix d'un ?

Martine Carol à Charles Boyer dans ***Nana*** (1955).

— On m'a parlé hier d'une propriété à Montmorency. Une maison façon Marie-Antoinette, avec un parc façon Le Nôtre. Nous l'aurons pour une bouchée de pain !
— Je crains qu'il ne faille opter entre la maison et le collier…
— Mais ce n'est pas la même chose ! Je ne peux pas passer l'été dans un collier !

Réalisé par Christian-Jaque, scénario de Jean Ferry, Henri Jeanson, Christian-Jaque et dialogues d'Henri Jeanson, d'après le roman d'Emile Zola. 

# Mais tu l'as tué... complètement ?

Benoît Poelvoorde à Gérard Lanvin dans ***Le Boulet*** (2001).

— Je suis sûr que c'est un malentendu avec ton ami. Qu'est-ce que t'as bien pu faire à ce garçon pour qu'il t'en veuille à ce point ? Il y a rien qui ne soit pas pardonnable. Qu'est-ce que tu lui as fait, hein ? Qu'est-ce que tu lui as fait ? Tu peux me le dire, je suis ton ami. Qu'est-ce tu lui as fait ?
— J'ai tué son frère.
— ... Ah oui, quand même. Mais... Tué... Tué ?

Réalisé par Alain Berberian et Frédéric Forestier, scénario, adaptation et dialogues de Matt Alexander et Thomas Langmann. 

# Quel gâchis !

Thierry Lhermitte à Carole Bouquet dans ***Tango*** (1993).

— C'est dommage qu'il ne s'agisse que d'un pari parce que si j'avais eu l'audace de vous séduire vraiment, nous serions en ce moment en train de monter cet escalier et moi, je serais en train de regarder vos jambes, vos fesses…
— Pourquoi ? Parce que c'est pas ce que vous êtes en train de faire ?
— Heu… Si, mais enfin, là, c'est en pure perte !

# Oh, la boulette !

Annie Girardot, Gérard Depardieu et Jean-Paul Rouve dans ***Je préfère qu'on reste amis***... (2005).

*(Annie Girardot s'approche de Gérard Depardieu.)*

— Vous dansez, jeune homme ?
— Non, merci madame, je mange là...
— Ah, excusez-moi. *(Elle s'en va.)*
— C'est la troisième fois qu'elle me demande. À chaque fois qu'il y a une vieille attaquée par l'Alzheimer, c'est pour moi.
— C'est ma mère... !

Écrit et réalisé par Éric Toledano et Olivier Nakache. 

## Le plus vieux métier du monde...

Agnès Rivière à Renato Salvatori dans ***Le Glaive et la Balance*** (1963).

— Non, ce n'est pas un métier de coucher avec toi. Je vaux mieux que ça quand-même, merde !
— Personne ne t'a dit que c'était un métier.
— C'en est un puisque j'en vis !

Réalisé par André Cayatte. Écrit par Charles Spaak, Henri Jeanson, André Cayatte et dialogues de Henri Jeanson.

# L’employé modèle

Hyppolite Girardot à Daniel Auteuil dans ***L’Invité*** (2007).

— Vous savez, dans l’entreprise, aujourd’hui, on a besoin de gens flexibles qui savent s’adapter, se couler dans le moule, pas faire de vagues.
— Oui, en fait ce que vous cherchez… C’est un type un peu con qui sache fermer sa gueule, quoi… Bon, ben cherchez plus, vous avez trouvé, voilà.
— Et vous avez de l’humour en plus !

Réalisé par Laurent Bouhnik, adaptation et dialogues de David Pharao. 

## L'amour prolo des aristos !

Suzy Delair à Louis Jouvet dans ***Copie conforme*** (1947).

On ferait comme si on était dans une chambre de bonne… S'aimer comme des pauvres, ça doit être chic quand on sait qu'on a de l'argent !

Réalisé par Jean Dréville, scénario de Jacques Campaneez, dialogues de Henri Jeanson. 

# Juste un doigt…

Thierry Lhermitte à Daniel Kenigsberg dans ***Trafic d'influence*** (1999).

Tout de même ! Me faire un toucher rectal pour une épaule froissée, je me demande, si c'est bien normal.

Réalisé par Dominique Farrugia, scénario et dialogues de Dominique Farrugia et Dominique Mezerette.

# Métaphore ou périphrase ?

Bernard Blier, puis un homme de main à Dominique Zardi dans ***Faut pas prendre les enfants du bon Dieu pour des canards sauvages*** (1967).

— Attention, j'ai le glaive vengeur et le bras séculier. L'aigle va fondre sur la vieille buse !
— Un peu chouette comme métaphore, non ?
— C'est pas une métaphore, c'est une périphrase.
— Fais pas chier…
— Ça c'est une métaphore !

Écrit et réalisé par Michel Audiard. Scénario de Michel Audiard, Henri Vard et Jean-Marie Poiré. 

# Deux pères pour le prix d'un !

Stéphane Bierry à Gérard Depardieu et Pierre Richard dans ***Les Compères*** (1983).

— De quel droit vous mêlez-vous de mes affaires, de quel droit ?
— Parce que je suis ton père !
— Oui, alors là, là je ne suis pas tout à fait d'accord. On décide à l'instant de ne pas en parler et vous lui dites maintenant que vous êtes son père. Je suis désolé, mais je ne suis pas d'accord du tout.
— Mais je lui dis que je suis son père parce qu'il veut foutre le camp !
— Mais pourquoi vous lui dites pas que je suis son père, alors ? Pour l'instant, il y a autant de chances… Et c'est plus élégant.
— Mais qu'est-ce que j'irais lui dire ? Que vous êtes son père alors que c'est peut-être moi…
— Bah, trouvez une formule, je sais pas moi… Euh… Dites-lui… Nous sommes ton père !

# À Poissy, la belle vie !

Lino Ventura à Jacques Brel dans ***L'Emmerdeur*** (1973).

« Venez vous cacher à Poissy. C'est pas compliqué, il y a un divan dans le living.
— Mais, enfin Pignon, qu'est-ce que je vous ai fait ? Pourquoi me persécutez-vous comme ça ?
— Je veux pas vous persécuter. J'veux vous aider.
— Oui, mais ça reviens au même !

Réalisé par Édouard Molinaro, scénario et dialogues de Francis Veber. 

## Un Opinel, peut-être ?

Gérard Depardieu à Michel Blanc dans ***Tenue de soirée*** (1990).

— Tout à l'heure quand je t'ai mis la main à la braguette. Je voudrais pas m'avancer mais il m'a bien semblé sentir une grosseur…
—T'as dû confondre avec mon couteau.
— Ah ! Non mon petit vieux, pas d'accord. Ton couteau il est froid et moi ce que j'ai senti c'était chaud, chaud comme un Jésus qui sort du four !

# Chassez le naturel…

Maurice Barrier à Gérard Depardieu dans ***Les Fugitifs*** (1986).

*(L'inspecteur Duroc parle à un ancien casseur retourné dans le droit chemin…)*

— Et le boulot, ça se passe bien ?
— Très bien, cinq visites aujourd'hui. Trois cons qui avaient oublié leurs clés, un quatrième qui l'avait pétée dans la serrure… Et puis j'ai forcé un coffre tout à l'heure.
—Toujours aussi rapide ?
— Je suis payé à l'heure. J'aurais pu le péter en dix secondes, là j'ai mis trois quarts d'heure… J'ai failli m'endormir !

## Paresse marseillaise

Raimu à Pierre Fresnay dans ***Marius*** (1931).

La vérité c'est que tu es mou et paresseux. Mou et paresseux ! Tu es tout le portrait de ton oncle Émile. Celui-là, il ne passait jamais au soleil parce que ça le fatiguait de traîner son ombre !

Réalisé par Alexander Korda et écrit par Marcel Pagnol d'après son œuvre. 

# Juste deux ou trois petites heures...

Daniel Russo à Zabou Breitman dans ***L'Homme idéal*** (1997).

— Tu vois Madeleine, si tu dois somatiser, somatise... Mais ailleurs. Parce que là, ce soir, il faut oublier ton frère, alors tu me lâches !
— Tu vas pas me dire que t'as pas deux ou trois heures pour m'écouter !

Réalisé par Xavier Gélin. Scénario de Dominique Chaussois, Gilles Niego et Xavier Gélin. Adaptation et dialogues de Dominique Chaussois, Xavier Gélin et Pascal Légitimus. 

# Quand Margot dégrafait son corsage...

Mathieu Demy à Romane Bohringer dans ***Nos Enfants chéris*** (2003).

J'ai toujours été fasciné par la facilité avec laquelle les jeunes mamans font étal de leur poitrine. Du moins, celles qui allaitent. Fais le compte du nombre de personnes qui ont vu ta poitrine aujourd'hui ! Alors que si je te disais, là, par exemple, Constance, j'ai envie de voir tes seins, tu serais choquée et tu refuserais de me les montrer. Non ? Constance, j'ai envie de voir tes seins !

Réalisé par Benoît Cohen, scénario et dialogues de Benoît Cohen et Éléonore Pourriat, 

# Les dernières modifs

Vincent Elbaz à Élodie Bouchez dans ***Tel père, telle fille*** (2007).

*(Vincent Elbaz, chanteur, est interviewé par Élodie Bouchez après son concert.)*

— T'as vu, j'ai fait des petites modifs, j'ai changé des petits trucs dans les textes ?
— Ah ouais ? J'ai pas trop remarqué mais il faut dire, le son il est pas top ici... Mais attends, c'était déjà vach'ment mieux qu'avant. Les premiers concerts, je savais pas si tu chantais en français ou en anglais !

Réalisé par Olivier de Plas. Scénario de Bernard Jeanjean et Olivier de Plas, d'après le roman *Teen Spirit* de Virginie Despentes. 

## De l'élégance... au bagne de l'amour !

Michel Serrrault dans ***Carambolages*** (1963).

Le mariage, mon cher, c'est le Biribi des amours. Moi, ça fait vingt ans que je déguste. Je me suis marié en 42, parce que ça donnait droit à un costume pure laine et une paire de chaussures en cuir. Voilà où ça mène l'élégance…

Réalisé par Marcel Bluwal. Scénario et adaptation de Pierre Tchernia, Marcel Bluwal et Fred Kassak, d'après son roman *Si je tuais le patron*. Dialogues de Michel Audiard. 

# Vertige de l'amour... paternel

Alain Bashung dans ***Mon père, ma mère, mes frères et mes sœurs*** (1999).

Maintenant que j'ai un fils, je me ferai moins chier pour Noël !

Réalisé par Charlotte de Turckheim, scénario de Charlotte de Turckheim et Philippe Giangreco, dialogues de Philippe Giangreco. 

## Référence de la connerie faite homme !

Jean Gabin à Françoise Rosay dans ***Le Cave se rebiffe*** (1962).

— J't'enverrai un gonze dans la semaine. Un beau brun avec des bacchantes, grand, l'air con.
— Ça court les rues les grands cons !
— C'ui-là, c'est un gabarit, un exceptionnel. Si la connerie se mesurait, il servirait de maître étalon !

Réalisé par Gilles Grangier. Adaptation de Michel Audiard, Gilles Grangier et Albert Simonin d'après son roman. Dialogues de Michel Audiard. 

# Je ne vise personne, suivez mon regard...

Barbara Schulz à Gérard Lanvin dans ***Erreur de la banque en votre faveur*** (2009).

— Moi, le hasard m'a toujours fait tomber sur le même genre de mecs.
— Ah oui ? Quel genre ?
— Le genre célibataire, un peu maniaque, qui pense que sa liberté est en danger dès qu'il voit une deuxième brosse dans son verre à dents...

Réalisé par Gérard Bitton et Michel Munz. 

## L'Amant de personne !

Anémone dans ***Ma femme s'appelle Maurice*** (2002).

Mon mari n'a jamais été l'amant de personne.
Même pas de moi !

Réalisé par Jean-Marie Poiré. Scénario et dialogues de Jean-Marie Poiré et Raffy Shart, d'après sa pièce.

# Tout bien réfléchi…

Gérard Depardieu à Pierre Richard dans ***La Chèvre*** (1981).

— J'ai un peu mal à la tête. Vous allez où, vous ?
— Sonny Club.
— Je vais prendre des aspirines et dormir un bon coup. C'est quoi le Sonny Club ?
— Un bar à putes.
— *(Silence.)* C'est peut-être pas bon que je me couche maintenant pour le décalage horaire…

## Urgences !

Micheline Dax à Thierry Lhermitte dans ***L'Ex-femme de ma vie*** (2004).

— Je me moque de savoir si vous avez bossé comme un malade pendant deux jours. "Coup de cul aux urgences", ça doit être rendu la semaine prochaine !
— Ça, c'est "Coup de cœur aux urgences" !
— Oui, oui, de toutes façons, il n'y en avait que la moitié et puis, dites donc, ça pue un peu le neuneu, hein ! Vous pourriez pimenter un peu, mettez un peu de cul sur les bords ! C'est pas compliqué, bordel !
— Une tournante au pavillon des grands brûlés, éventuellement, ça vous irait ?

# Vive la banlieue !

Bernard Blier à Jean Carmet dans ***Buffet froid*** (1979).

*(Cherchant à se débarrasser du cadavre d'un médecin qu'ils viennent de tuer…)*

— On va le larguer dans un terrain vague, qu'est-ce que vous en pensez ?
— Ce serait dommage de pas profiter des avantages de la banlieue !

## Avec ou sans faux col ?

L'examinateur antidopage à Benoît Poelvoorde dans ***Le Vélo de Ghislain Lambert*** (2001).

*(Poelvoorde est cycliste et urine dans un flacon pour un contrôle anti dopage…)*

— Alors Lambert ? Tu nous pisses une bonne gueuze ?
— Faut l'aimer sans mousse !

Réalisé par Philippe Harel, scénario et dialogues de Philippe Harel, Benoît Poelvoorde et Olivier Dazat.

# La mort discrète de la bourgeoise...

Marie Trintignant à Thierry Lhermitte dans ***Le Prince du Pacifique*** (2000).

— Vous êtes marié ?

— Veuf. Madame de Morsac est morte il y a 10 ans. Elle s'est étouffée à l'opéra sans un bruit… afin de ne pas perturber la représentation !

— C'est magnifique !

Réalisé par Alain Corneau, scénario, adaptation et dialogues de Christian Bielgaski, Lucia Etxbarria, Pierre Geller, Laurent Chalumeau, Éric Collins, Alain Corneau et Thierry Lhermitte. 

## Le respect de la vocation !

Jean Gabin à René Dary dans ***Touchez pas au grisbi*** (1954).

*(Un voyou parlant de sa « poule »…)*

Bon, allez, je vais dire à Lola que je me tire. Puis, après tout, eh ! dis donc, c'est peut-être ce soir qu'elle va se faire le micheton de sa vie, j'ai pas le droit de lui briser sa carrière !

Réalisé par Jacques Becker, adaptation et scénario de Jacques Becker, Albert Simonin et Maurice Griffe d'après le roman éponyme d'Albert Simonin, dialogues d'Albert Simonin. 

# Petits jeux entre amoureux…

Claire Keim à Thierry Lhermitte dans ***Le Roman de Lulu*** (2001).

— Je profite de l'Amérique pour te quitter, Roman. Lundi.
— Lundi, c'est super, je vais pouvoir t'accompagner à l'aéroport !

Réalisé par Pierre-Olivier Scotto, scénario et dialogues de David Decca. 

# La vérité sur Lili Dayan !

Gilbert Melki à José Garcia dans ***La Vérité si je mens !*** (1997).

— Lili Dayan, c'est pas une chatte qu'elle a, c'est un allume cigares…
— Et religieuse avec ça… J'ai jamais vu une nana qui bouffe casher et qui fait des saloperies pareilles !

Réalisé par Thomas Gilou. Scénario, adaptation et dialogues de Gérard Bitton et Manuel Munz.

# Fallait pas péter comme ça !

Louis de Funès à Jacques Villeret dans ***La Soupe aux Choux*** (1981).

*(Jacques Villeret est un extraterrestre et se trouve face à un paysan pétomane…)*

Tu nous as écoutés péter de là-haut ? Mais qu'est ce t'as cru ? Qu'on t'appelait ? C'est vrai ? Ah ! Ben, si on peut plus péter sous les étoiles sans faire tomber un martien, il va nous en arriver des pleines brouettes !

Réalisé par Jean Girault, adaptation de Louis de Funès et Jean Halain d'après le roman de René Fallet.

068

## Heu… Ça marche qu'avec Hugh Grant ?

Michel Laroque dans ***Comme t'y es belle !*** (2006).

*(Parcourant la presse à scandale.)*

Et lui alors ! Il peut me prendre comme ça par les cheveux, il peut me traîner sur le sol, Hugh Grant ! Il me fait l'amour sans même me demander mon prénom, il me jette après… Je fais le plus grand kif de l'histoire des kiffes !

Réalisé par Lisa Azuelos, scénario de Lisa Azuelos avec la collaboration de Michaël Lellouche et Hervé Mimran.

# Jamais de sel sur les taches !

Scali Delpeyrat à Pascale Arbillot dans ***Notre Univers impitoyable*** (2008).

— Moi, j'ai toujours vu les gens mettre du sel sur les taches de vin…
— Les gens… Ce qui faut, c'est absorber le plus possible de vin, puis rincer avant que ça sèche. En fait, le mieux ce serait de passer votre chemise sous l'eau…
— Pourquoi je devrais vous croire vous et pas les autres ?
— Parce que j'ai 40 ans, un salaire de merde, deux enfants à charge, un mari qui s'est barré, un avocat qui me négocie une pension minable. Alors, vu mon niveau de confiance, je vous assure que quand je prends le risque d'affirmer quelque chose, j'ai bien vérifié mes sources !

## Timsit est cancer

Patrick Timsit dans ***Pédale douce*** (1996).

*(Quittant son amant d'un soir…)*

J'ai pris la tangente, il a même pas eu le temps de me demander mon signe astral !

Réalisé par Gabriel Aghion, scénario de Gabriel Aghion, adaptation de Gabriel Aghion et Patrick Timsit, dialogues de Pierre Palmade. 

# Les délices de l'administration !

André Gaillard à Pierre Richard dans ***Je ne sais rien mais je dirai tout*** (1973).

*(Pierre Richard prenant la défense d'un chômeur étranger au bureau de l'ANPE…)*

— Carte de chômage !
— Il en a pas.
— Il en a pas ? Qu'est-ce qui me prouve qu'il est au chômage ?
— Ben, s'il était pas au chômage, il ne serait pas ici !
— Il serait où ?
— Ben, il serait au travail !
— Bon, alors carte de Sécurité sociale.
— Parce qu'il faut une carte de Sécurité sociale pour travailler ?
— Non, il faut travailler pour avoir une carte de Sécurité sociale !

Réalisé par Pierre Richard, scénario et dialogues de Pierre Richard et Didier Kaminka. 

## C'est la petite bête qui monte...

Anémone à Michèle Moretti dans ***Le Quart d'heure américain*** (1982).

— Et puis, tout d'un coup, comme ça, ça s'est mis à monter. Et puis alors, ça montait, ça montait… J'ai pris un pied ! Tu peux pas savoir ce que j'ai honte.
— Mais t'es folle, il n'y a pas de honte ! C'est ton corps qui s'exprime.
— Oui, ah ! ben oui… Mais enfin, il pourrait s'exprimer avec un beau mec !

# La veuve joyeuse !

Guillaume Gallienne, Zabou Breitman et Benoît Poelvoorde dans ***Narco*** (2004).

*(Zabou Breitman est brutalement veuve d'un dessinateur amateur…)*

— G. Gallienne. — Espérons que le Seigneur, dans sa très grande miséricorde, puisse protéger votre mari.
Z. Breitman. — Il y a un tel vide maintenant.
G. Gallienne. — Mon cœur est triste aujourd'hui, Pam.
*(Benoît Poelvoorde intervient).*
— Ouais ! Bon ! Il y a moyen de se faire du fric avec ses dessins, oui ou merde ?
— Oui.
— Bon, ben, très bien, on va arrêter de se renifler le cul.

Réalisé par Christian Aurouet et Gilles Lellouche, scénario et dialogues de Gilles Lellouche d'après une idée originale de Alain Attal et Philippe Lefebvre. 

# Et 1 et 2 et 3 zéro !

Gérard Lanvin dans ***3 zéros*** (2002).

(*Commentant cyniquement des résultats de football…*)

9-1, 14-3, 11-5 ! C'est ce que tu t'es mangé le mois dernier. C'est pas des scores, ça, c'est des numéros de loto, enfin !

Réalisé par Fabien Onteniente, scénario, adaptation et dialogues de Fabien Onteniente, Philippe Guillard et Emmanuel Booz. 

# Si j'étais un homme...

Carole Bouquet et Charlotte Rampling à Karine Viard dans ***Embrassez qui vous voudrez*** (2002).

— Mais pourquoi est-ce qu'on a besoin des hommes ? Quels boulets.
— Vous savez, moi j'aurais détesté être un homme. Je vois pas l'intérêt.
— Moi, j'aurais bien aimé avoir un pénis une heure ou deux, ça doit être amusant.
Je me suis toujours demandé quel effet ça faisait quand...
— Vous voulez dire, quand ils...
— Quand ils jouissent partout comme ça.
— C'est vrai, ça doit être très différent.
— J'aimerais bien avoir un orgasme masculin, juste une fois, pour voir...
— Moi j'aimerais bien avoir un orgasme féminin, juste une fois comme ça, pour voir...

Réalisé et dialogué par Michel Blanc. ©Ugc.

# Question de termes…

François Morel à Carmen Maura dans ***Alliance cherche doigt*** (1991).

— Il est très malheureux.
— C'est encore sa femme, je parie…
— Il s'est rendu compte qu'elle le trompait.
— Ah ! J'en étais sûre. La morue, l'empafée des Abruzzes.
— Elle est italienne ?
— Mais non, c'est une expression. C'est comme crétin des Alpes !

# Zézette, épouse « X » ou veuve « Y »

Marie-Anne Chazel à Gérard Jugnot et Thierry Lhermitte dans ***Le Père Noël est une ordure*** (1982).

— Je rentrerai jamais avec cette tête de veau, il fait que me battre.
— Mais c'est normal ça, quand elle fait des bêtises, je la corrige. C'est l'amour. T'es pas en sucre, non ?
— Mais l'écoutez pas m'sieurs-dames, il ment comme un arracheur de dent ! Tiens, l'autre fois chez Roger, il a voulu me faire passer par le vide-ordures, il voulait me friser les cheveux avec le fer à souder…
— Bon, Monsieur, ce n'est pas l'Armée du Salut, sortez !
— Non, mais c'est des querelles d'amoureux ça. Vous êtes marié ? Vous vous êtes jamais disputé avec votre femme, vous ?
— Oui, mais jamais à coups de fer à souder !
— C'est parce que vous êtes pas bricoleur…

Réalisé par Jean-Marie Poiré. Écrit par Josiane Balasko, Marie-Anne Chazel, Christian Clavier, Gérard Jugnot, Thierry Lhermitte et Jean-Marie Poiré. 

# Satan m'habite !

Olivier Brunhes à Jean Rougerie dans ***Le Miraculé*** (1987).

— Satan m'est apparu à la gare, Monseigneur.
— Sous quelle forme, mon fils ?
— Une bohémienne, une voleuse, une pécheresse. Ses cuisses, enfin ce qu'elle a entre…Mon père, pardon. C'était rose, si rose…
— Mais mon fils, rose ? Mais vous n'avez pas…
— Oh non, elle battait des jambes, là sur le quai. Elle ne portait rien cette païenne.
— Satan utilise toujours la chair pour nous corrompre.
— J'ai dû manger trop de viande rouge. Ça fait chauffer…
— Moi je ne mange que du poisson et malgré ça…

Réalisé par Jean-Pierre Mocky. Scénario et dialogues de Jean-Claude Romer, Patrick Granier et Jean-Pierre Mocky.

079

## Séduction très gauloise...

Noémie Lenoir à Christian Clavier dans ***Astérix et Obélix : mission Cléopâtre*** (2002).

*(S'adressant à Astérix...)*

— T'as des belles moustaches. Ce sont des vraies ?
— Oui. Oh, tu sais, c'est rien, c'est... Il suffit de les faire pousser comme ça et puis voilà, quoi... Comme tes tresses qui, soit dit en passant, sont d'ailleurs bien plus jolies que celles d'Obélix...
— Merci. Tu sais trouver les mots pour parler aux femmes.
— Oh, c'est une tradition chez nous. C'est la Gaule !

Écrit et réalisé par Alain Chabat d'après l'œuvre de René Goscinny et Albert Uderzo. 

# Facile mais efficace...

Pierre Arditi à Michael Lonsdale dans ***Les Acteurs*** (1999).

— Qu'est ce qu'il y a avec les pédés ?
— Comment, qu'est-ce qu'il y a ? Rien.
— T'aimes pas ça, les pédés ?
— Mais si, beaucoup.
— Je suis pédé !
— Depuis quand ?
— Ça m'a pris récemment.
— Et ça t'as pris comment ?
— Par derrière.
— Forcément !

## Prêt-à-porter ou haute couture ?

Christain Clavier à Agnès Soral dans ***L'Antidote*** (2004).

— C'est un ensemble en laine, composé d'une veste et d'une jupe assortie. Couleur jambon de Bayonne…
— C'est de mon tailleur dont tu parles, là ?

Réalisé par Vincent de Brus, scénario, adaptation et dialogues de Arnaud Lemort d'après un scénario original de Éric Besnard et Jacques Besnard. 

# Clair, net, précis et... open !

Jean-Pierre Bisson dans ***Association de malfaiteurs*** (1987).

Je ne suis pas un garçon facile, mais si elle insiste…

Réalisé par Claude Zidi, scénario et adaptation de Michel Fabre, Simon Michael et Claude Zidi d'après une idée originale de Claude Zidi, dialogues de Didier Kaminka. 

## Ruy Blaze

Louis de Funès à Yves Montand dans ***La Folie des grandeurs*** (1971).

— Et maintenant Blaze, flattez-moi.
— Monseigneur est le plus grand de tous les grands d'Espagne.
— C'est pas une flatterie ça, c'est vrai !

Réalisé par Gérard Oury. Scénario, adaptation et dialogues de Gérard Oury, Danièle Thompson et Marcel Jullian.

## Habitations à loyers modérés

Yves Robert à Jean Lefèbvre dans ***Un Idiot à Paris*** (1967).

— Savez-vous ce que c'est qu'un HLM, Monsieur ?
— Non.
— C'est l'enfer conditionné. On y joue du pick-up, du transistor, de la télé… Quand on fait sonner son réveil, y a le voisin qui crie : "Entrez" !

# Maman a le sens du... commerce

Henri Vilbert à Jane Maken dans ***Pot-Bouille*** (1957).

— Enfin ! Tu ne vas pas jeter ta fille dans le lit de cet avorton…
— Je ne lui donne pas un mari, je lui donne un magasin très bien placé !

Réalisé par Julien Duvivier, scénario et adaptation de Léo Joannon et Julien Duvivier, d'après le roman d'Émile Zola. Dialogues d'Henri Jeanson. 

# Tu crois que ça se transmet ?

Elina Löwensohn à Sandrine Kiberlain dans ***Romaine par moins 30*** (2009).

— Regarde, je te laisse l'eau dans le bain. Faut que je prenne deux bains par jour… pour mes hémorroïdes.
— Je vais peut-être prendre une douche…

Réalisé par Agnès Obadia. Écrit par Lydia Decobert, Agnès Obadia, Laurent Bénégui et Louis Bélanger. 

# Un vrai guide touristique !

Arletty dans ***Hôtel du Nord*** (1934).

*(Arletty parlant de son mac, Louis Jouvet)*

Voyager avec lui, c'est un rêve. Cet homme-là dans une gare, c'est un autre homme. Il est aux petits soins et tout avec vous. Il vous achète des oranges, il vous les pèle, il vous allume votre cigarette avant de vous l'offrir. Ah ! il est imbattable question délicatesse. Il vous explique tout le pays où qu'on passe : c'est là que le Grand Charles, il a le Grand Sept… Là, c'est la région des tricards… Voilà Lyon où le grand Fred a descendu Dédé… Un vrai géographe et plus qu'on descend vers la mer, plus il devient tendre. Ah ! Il sait se tenir en voyage. Avec lui, on prend des troisièmes, on a l'impression d'être en première !

Réalisé par Marcel Carné. Scénario de Jean Aurenche et Henri Jeanson, dialogues de Henri Jeanson, d'après le roman de Eugène Dabit. 

# Le lâche héroïque !

Fabrice Lucchini à Marie Gillain et Hugo Speer dans ***Barnie et ses petites contrariétés*** (2000).

*(Rupture simultanée avec sa maîtresse… et son amant !)*

— C'est justement parce que je vous respecte que j'ai décidé d'arrêter les frais, vous comprenez ? Avant de vous faire trop souffrir…
ELLE. — Et pourquoi tu me l'as pas dit en face ?
LUI. — Eh ben, parce que quelques fois, le courage, c'est de savoir passer pour un lâche !

Réalisé par Bruno Chiche, adaptation et dialogues de Farice Roger-Lacan et Bruno Chiche, d'après un scénario original de Alain Layrac. 

# Goutte à goutte...

Bernard Blier à Dora Doll dans ***Archimède le clochard*** (1963).

N'oublie pas ce qu'a dit le médecin : cinq gouttes.
La posologie, ça s'appelle. Et de la posologie au veuvage,
c'est une question de gouttes !

Réalisé par Gilles Grangier. Écrit par Albert Valentin, Gilles Grangier et Michel Audiard d'après une idée de Jean Gabin. Dialogues de Michel Audiard. 

# Le cercle du poète disparu… !

Josiane Balasko à Thierry Lhermitte dans ***Les Bronzés*** (1978).

*(Elle hurle de rire en voyant son slip kangourou…)*

— Popeye, tu devrais changer de slip !
— Ça va pas, il est impeccable, il est de ce matin.
— Non, c'est pas ça, c'est la forme tu vois, ça casse un peu le personnage…
— T'inquiète pas ma chérie, ça casse pas ce qu'il y'a dedans !

Réalisé par Patrice Leconte. Écrit par l'équipe du Splendid et Patrice Leconte. 

## Pas facile à porter comme nom...

Benoît Poelvoorde à Jean-Pierre Marielle dans ***Atomik Circus*** (2004).

— Je voudrais réserver une chambre.
— Y en a plus. Vous savez, mon vieux, vous choisissez bien votre jour, ça va être la fanfare, cette nuit.
— Écoutez, vous inquiétez pas pour le bruit, ça ne m'a jamais empêché de dormir. Des conneries, j'en entends toute la journée, c'est mon métier... Mais je ne me suis pas présenté : Chiasse, Allan Chiasse.

Réalisé par les frères Poiraud, scénario de Jean-Philippe Dugand, Didier Poiraud, Thierry Poiraud, Vincent Tavier, Marie Garel-Weiss d'après l'univers imaginé de X90 et Didier Poiraud. Entropie Films/TF1 Films Production/MMC Independent/Invicta Fimworks.

## Alcoolo de père en fils…

Gérard Depardieu à Pierre Richard dans ***Les Compères*** (1983).

— La première fois que je me suis saoulé, c'est parce que j'étais amoureux, moi aussi.
— Ah bon ?
— Une cuite de trois semaines ! C'est drôle qu'il fasse la même chose. On a un peu les mêmes réactions tous les deux.
— Ça prouve rien du tout.
— Je dis pas que ça prouve quelque chose. Je constate qu'on a des points communs, c'est tout.
— Quels points communs ? Vous picolez. Il picole ? Si tous les gens qui picolent étaient votre fils, vous auriez une drôle de famille !

## Le premier pas...

Anne Brochet à Fabrice Luchini dans ***Confidences trop intimes*** (2004).

— T'as jamais été capable de faire le premier pas. C'est quand même curieux ce blocage ! Elle doit se demander ce que t'attends...
— Elle vient pas me voir pour ça.
— Tu crois ? Une femme qui raconte ses orgasmes à un conseiller fiscal ! Ça te fait bander, au moins ?

Réalisé par Patrice Leconte, scénario et dialogues de Jérôme Tonnerre, adaptation de Jérôme Tonnerre et Patrice Leconte. 

# Balance ! Délateur ! Faux frère !

Un mec en colère à Pierre Richard et Gérard Depardieu dans ***La Chèvre*** (1981).

— C'est vous qui avez traité mon amie de pute ?
— Non, non, c'est lui.
— Mais non, mais non. Personne n'a traité personne de pute ! C'est un malentendu, y a pas de raisons de s'énerver.
— C'est pas vrai ! Il a même dit qu'elle valait trente dollars.
— Cinquante !

## Wonderbra ?

Jules-Angelo Bigarnet à Édouard Baer dans ***Le Bison*** (2003).

— C'est des vrais nichons qu'elle a, ta femme ?
— C'est pas ma femme…
— Bah alors, c'est qui ?
— … En fait, c'est du coton, il y a beaucoup de coton.

Réalisé par Isabelle Nanty, scénario, adaptation et dialogues de Isabelle Nanty et Fabrice Roger Lacan.

# Douloureuse perspective...

Gérard Lanvin à Benoît Poelvoorde dans ***Le Boulet*** (2001).

*(À Benoît Poelvoorde, gardien de prison...)*

— Si on se fait serrer avec tes conneries, tu sais ce qu'il va nous arriver ? On va se retrouver au placard, tous les deux, direct, mais ce coup-ci, du même côté des barreaux.
Et tu sais ce qu'on fait à un maton en cellule ?
— On l'encule ?

Réalisé par Alain Berberian et Frédéric Forestier, scénario, adaptation et dialogues de Matt Alexander et Thomas Langmann. 

# Il a 60 ans, elle en a 20...

Béatrice Rosen à Michel Duchaussoy dans ***Bienvenue chez les Rozes*** (2003).

— Magalie, c'est ma meilleure copine, tu peux comprendre ça non ? J'ai pas très envie qu'elle me voit en train de sucer son tonton jusqu'à la dernière goutte.
— Tu peux très bien dîner chez eux sans me sucer au dessert...
— Pfff !
— Surtout que les macarons, c'est tout ce qu'elle sait faire de bien alors...

## Diagnostique provisoire...

Mouriès à Charpin dans ***Fanny*** (1932).

(*Escartefigue auscultant le cœur de M. Brun, sauvé* in extremis *de la noyade*…)

Il y a encore quelque chose qui bat… Mais je sais pas si c'est son cœur ou si c'est sa montre !

## Croyant et pratiquant…

Édouard Baer en pamoison devant Monica Bellucci dans ***Combien tu m'aimes ?*** (2005).

La beauté de cette femme ! Moi, pour une femme pareille, je ferais n'importe quoi. Je serais en prière toute la journée…

Écrit et réalisé par Bertrand Blier. 

## Proverbe à compléter...

Frank Dubosc à Emmanuelle Béart dans ***Disco*** (2007).

À la Saint Valentin, si elle te tient la main...
Vivement la Sainte Marguerite !

Réalisé par Fabien Onteniente, scénario et dialogues de Franck Dubosc, Fabien Onteniente, Emmanuel Booz et Philippe Guillard. 

## Un cap ? Une péninsule !

Jean Rochefort à Jean-Pierre Marielle dans ***Calmos*** (1976).

(Jean-Pierre *Marielle et Jean Rochefort délirent sur les femmes en faisant du vélo.*)

— Docteur. La selle m'irrite…
— Vous avez déjà eu des ennuis de ce côté-là ?
— Ah ! J'avoue que c'est mon point faible. Depuis quelques temps par exemple, j'ai le clitoris qui gonfle. Au début, j'ai pris ça pour une boursouflure passagère, mais maintenant j'avoue que je suis inquiète. Ça fait comme un tarin, à chaque fois que mon mari voit mon cul, il se met à rigoler. Il m'appelle Cyrano !

Réalisé par Bertrand Blier, scénario et dialogues de Philippe Dumarçay et Bertrand Blier. 

# On n'a pas tous quelque chose en nous de Johnny

Fabrice Luchini à Julia Vidit dans ***Jean-Philippe*** (2006).

*(Fabrice Luchini est au commissariat pour signaler le vol complet de sa « collection Johnny »…)*

— Dans mon grenier, j'ai une collection Johnny.
— Une collection de quoi ?
— Une collection consacrée à Johnny Hallyday, la plus importante du département d'ailleurs…
— Qui ça ?
— Une collection consacrée à Johnny Hal-ly-day ! Je suis un très grand fan.
— C'est un acteur américain ?

Réalisé par Laurent Tuel, scénario et dialogues de Christophe Turpin, adaptation de Christophe Turpin et Laurent Tuel. 

## Satanée question…

Mireille Darc à Alain Delon dans ***L'Homme pressé*** (1977).

— Tu es sûr que tu m'aimes ?
— Sûr.
— Même après que tu m'auras fait l'amour ?
— Ça dépend de toi !

Réalisé par Édouard Molinaro, adaptation et dialogues d'après son roman par Maurice Rheims et Christopher Franck. 

## Soigne tous les orifices...

Éric à Ramzy dans ***Seuls Two*** (2007).

*(Éric saisit une plante...)*

— Ah ! Parfait, de la salsepareille !
— C'est le truc des Schtroumpfs, ça.
— Non justement, Peyo l'a piqué aux Comanches.
Ça soigne tout. Les Indiens l'utilisaient contre les trous de balles... ou les trous de flèches !

Réalisé par Éric et Ramzy. Scénario Éric Judor, Ramzy Bedia, Lionel Dutemple et Philippe Lefebvre.

## Enterrement en première classe ?

Valérie Lemercier à Chantal Lauby dans ***La Cité de la peur*** (1994).

— L'enterrement a lieu mardi prochain, je pense.
— Mardi ? Eh non, je pourrai pas, sinon, je serais venue avec plaisir.
— C'est gentil. J'espère au moins que le soleil sera de la fête. C'est plus gai… Enfin, moins triste !

Réalisé par Alain Berberian, scénario de Chantal Lauby, Alain Chabat et Dominique Faruggia. 

## À jouer... Routière... Vitale... De crédit...

Jean-Paul Rouve à Yves Jacques dans ***Je préfère qu'on reste amis***... (2005).

*(Jean-Paul Rouve se lamente sur sa vie sentimentale au patron d'une agence matrimoniale...)*

— Vous savez la vie c'est un peu comme une partie de poker. Chacun essaie de s'en sortir avec ses cartes. Moi j'ai été mal servi au début...
— En parlant de carte, il faudra nous laisser une emprunte de la vôtre...

## Potins, cancans, racontars, rumeurs...

Deux téléspectateurs dans *Palais royal !* (2005).

— Il a maigri Pavarotti ?
— Il a fait le régime à Sulitzer !

Réalisé par Valérie Lemercier, scénario et dialogues de Valérie Lemercier et Brigitte Buc. © Les Films du Dauphin/Rectangle Productions/De l'huile/TF1 Films Production/Palais Productions LTD.

# France, ton micheton fout le camp !

Dany Carrel à Micheline Luccioni dans ***Un Idiot à Paris*** (1967).

*(Deux prostituées se lamentent sur le métier en perdition…)*

Mais l'homme de maintenant, dès qu'il sort de son bureau c'est pour foncer devant son poste. Pis tout l'intéresse ce con ! Tiens, pendant le tournois des Cinq Nations, là comme y z'appellent, tu vois encore un client le samedi soir dans la rue ? Quand c'est pas le rugby, c'est le vélo, quand c'est pas le vélo, c'est Longchamp. Ah non ! Le micheton d'aujourd'hui, c'est plus avec nous autres qu'il s'envoie en l'air, c'est avec Couderc, Chapatte et Zitrone !

Réalisé par Serge Korber, adaptation de Michel Audiard, Jean Vermorel, Serge Korber et dialogues de Michel Audiard, d'après le roman de René Fallet. 

# L'amour sous contrat !

Charlotte Gainsbourg à Alain Chabat dans ***Prête-moi ta main*** (2006).

*(Établissant le contrat de leur liaison factice...)*

— Bon, et pas de bisous avec la langue, pas de pelotage... Je ne suis pas très surnoms, genre... "Bichette", "Mamour", tout ça...
— Pas besoin de l'écrire, ça. Ça va pas me venir naturellement !

Réalisé par Éric Lartigau, scénario de Laurent Zetoun, Philippe Mechelen, Grégoire Vigneron, Laurent Tirard et Alain Chabat. 

# Le petit oiseau va sortir !

Gad Elmaleh à son chauffeur dans **Coco** (2009).

*(Son chauffeur conduit trop lentement au goût de Coco…)*

— Tu es en train de rouler à deux à l'heure comme un Jean-Jacques… Avance ! Bouge !
— Mais il y a des flashes, monsieur Coco…
— Eh ben… souris !

# Le Divan

Jacques Brel à Lino Ventura dans ***L'Emmerdeur*** (1973).

*(Jacques Brel parlant de sa femme...)*

Elle s'allongeait sur le divan. Normalement, il aurait dû rester dans son fauteuil, lui, c'est toujours comme ça. Hein ? Le malade est sur le divan et le docteur est à côté, dans son fauteuil. Il pose des questions, il prend des notes. Hein ? Normalement, c'est comme ça que ça se passe chez un psychiatre. Eh ben, là, pas du tout ! Hop ! Tout le monde sur le divan ! Et moi je payais 60 francs de l'heure !

## Déjà la grosse tête ?

Laura Smet à Benoît Magimel dans ***La Demoiselle d'honneur*** (2004).

— J'ai tourné une fois dans un film américain. Une histoire de courtisane. Ça se passait au XVIII^e siècle. J'avais une scène avec John Malkovitch, mais le metteur en scène l'a coupée au montage.
— Pourquoi ? T'étais pas bien ?
— Mais non, c'était John Malkovitch qui était pas bien !

Réalisé par Claude Chabrol, scénario, adaptation et dialogues de Pierre Leccia et Claude Chabrol d'après le roman de Ruth Rendell. 

## Oh ! Ce cul !

Jean-Pierre Marielle à Dolores Mac Donough dans ***Les Galettes de Pont-Aven*** (1975).

Quel génie il faut pour peindre ça ! Quand je pense que ce mec en a peint des milliers, qu'on l'a poursuivit pour obscénité alors qu'il a peint la plus belle chose au monde, un cul ! Oh oui ! Un cul de bonne femme ! Oh ! Il est magnifique ! J'vais l'peindre en vert… en bleu, en rouge, en jaune !

## Incontinence nocturne

Laurent Spielvogel et Didier Brengarth dans ***Le Derrière*** (1999).

— Oh, merde ! J'ai sonné au lieu d'appuyer sur la lumière !
— Chut, t'es con ! C'est ma petite madame Brion, elle a 86 ans, elle a du mal à dormir, la pauvre !
— Mais non, tu parles, t'as vu l'heure qu'il est ? À cette heure-là, elle doit déjà avoir inondé sa couche.

# Mais vous n'y pensez pas...

Guillaume Gallienne à Samuel Le Bihan dans ***Jet Set*** (2000).

— En ce moment, mère me tanne. Elle veut que je me case, que j'aie des enfants. Mais allez trouver une Mérovingienne aujourd'hui !
— Une Mérovingienne ?
— Les Sainte Croix descendent des Mérovingiens. C'est une des plus vieilles familles de France, une lignée de sang bleu. Je ne peux décemment pas épouser une Valois !

Réalisé par Fabien Onteniente, scénario de Fabien Onteniente, adaptation et dialogues de Fabien Onteniente, Bruno Solo et Emmanuel de Brantes. 

## Inrockuptible !

Sergi Lopez à François Cluzet dans ***Janis et John*** (2003).

— Alors, vous aimez bien John Lennon ?
— J'adore… l'Angleterre, *Imagine*, Yoko Ono… Les Rolling Stones, quoi !

## Viva la revoluzione !

Claude Giraud, Louis de Funès et un figurant dans ***Les Aventures de Rabbi Jacob*** (1973).

— La révolution est comme une bicyclette, quand elle n'avance pas, elle tombe !
— Eddy Merckx…
— Non, Che Guevara !

Réalisé par Gérard Oury. Scénario, adaptation et dialogues de Danièle Thompson et Gérard Oury, avec la collaboration de Josy Eisenberg. 

# Aveux spontanés ?

Léo Lapara à Louis Jouvet dans ***Entre onze heures et minuit*** (1948).

— Qu'est-ce qu'on va faire Victor ? Il a avoué.
— Qu'est-ce qu'il a avoué ?
— Eh bien, qu'il avait tué Vidauban.
— Mais c'est pas lui, imbécile !
— Je n'en ai que plus de mérite à lui avoir fait avouer !

Réalisé par Henri Decoin, scénario, adaptation de Marcel Rivet et Henri Decoin, dialogues de Henri Jeanson, d'après le roman de Claude Luxel. Jacques Roitfeld/Francinex.

# Flic story

Thierry Lhermitte à Philippe Noiret dans ***Les Ripoux*** (1984).

(Parlant des petits voyous du quartier…)

— Ils vous connaissent tous ?
— Ben, ça fait vingt ans que je suis là. Je les ai tous arrêtés au moins une fois ! Ça crée des liens.

Réalisé par Claude Zidi, scénario et adaptation de Claude Zidi d'après une idée originale de Simon Mickael, dialogues de Didier Kaminka. 

## Twins

Pierre Richard dans ***Le Jumeau*** (1984).

J'ai toujours rêvé de baiser des jumelles… riches et orphelines !

Réalisé par Yves Robert, adaptation et scénario de Yves Robert et Élisabeth Rappeneau, dialogues de Yves Robert et Boris Bergman. 

## *Call... me*

Robert Plagnol à Natacha Lindinger dans ***Ni pour, ni contre (bien au contraire)*** (2002).

— Par exemple, combien tu prends pour une passe ?
— Mais je suis pas une pute, ça n'a rien à voir. Je suis *call*.
— *Call ?*
— *Call girl*.
— Ah ouais ! *Call* ! Ben, justement, ce qui serait bien, c'est que tu expliques la différence pour le spectateur !

Réalisé par Cédric Klapisch, scénario et dialogues de Santiago Amigorena, Cédric Klapisch et Alexis Galmot.

# Jermaine, Tito, Jackie, Marlon ou Michael ?

Gilles Lellouche dans ***Ma Vie en l'air*** (2005).

J'étais au concert hier soir… Oh ! La déception sur Annabelle, mon pote ! Fin du premier morceau, elle lève les bras, et là… un *Jackson Five* sous chaque aisselle ! Et puis pas du petit, hein, de la période disco !

123

## Souvenirs olfactifs...

Richard Anconina et Christophe Lambert à des lycéens dans ***Paroles et Musique*** (1984).

— Écoutez, on est vraiment très heureux d'être là. On est dans un lycée, ça nous rappelle notre enfance, comme une bouffée de...
— Haschich !

**124**

# Mont de Vénus

Diane Kruger à Guillaume Canet dans ***Mon Idole*** (2002).

*(Évoquant son pubis…)*

Hum, j'adore être rasée de partout. J'ai fait ça ce matin, j'ai plus un poil sur le caillou, un vrai p'tit lavabo !

Réalisé par Guillaume Canet, scénario de Guillaume Canet et Philippe Lefebvre, dialogues de Guillaume Canet, Philippe Lefebvre et Éric Naggar. 

## Décalage horaire

Coluche à Valérie Mairesse dans ***Banzaï*** (1983).

*(Parlant à sa petite amie, hôtesse de l'air…)*

— Tu dînes où ce soir ?
— À Dakar. Et toi ?
— Ben… À Asnières, chez maman !

Écrit et réalisé par Claude Zidi, adaptation et dialogues de Didier Kaminka, Michel Fabre et Claude Zidi.

## C'est un scandale !

Didier Bourdon dans ***Le Pari*** (1997).

En venant, on était encore emmerdés par des SDF. Et c'est toujours les mêmes ! Alors, je sais pas s'ils sont sans domicile fixe, mais en tout cas, ils sont toujours au même feu rouge !

## Signé OSS 117

Bérénice Bejo à Jean Dujardin dans ***OSS 117 : le Caire, nid d'espions*** (2006).

— Je vous conduis ?
— Je n'ai jamais pu refuser quoi que ce soit d'une brune aux yeux marron.
— Et si j'étais blonde aux yeux bleus ?
— Cela ne changerait rien, vous êtes mon type de femme, Larmina.
— Tiens donc ! Et si j'étais naine ? Et myope ?
— Eh bien, je ne vous laisserais pas conduire !

Réalisé par Michel Hazanavicius, scénario de Jean-François Halin, d'après le roman éponyme de Jean Bruce, adaptation et dialogues de Jean-François Halin et Michel Hazanavicius. 

# Utiles recommandations

Patrick Timsit à Fanny Ardant dans ***Pédale douce*** (1996).

*(Patrick Timsit demande à son amie Fanny Ardant de l'accompagner à un dîner chez son patron.)*

— Mais enfin, tu peux bien faire ça pour moi. J'ai l'air d'un con maintenant si j'y vais tout seul.
— Ok, j'y vais.
— T'es géniale, je t'adore. Bon, alors, look BCBG, maquillée, mais pas plâtrée. Tu souris et tu dis que des mots qui sont dans le Larousse, d'avance merci !

Réalisé par Gabriel Aghion, scénario de Gabriel Aghion, adaptation de Gabriel Aghion et Patrick Timsit, dialogues de Pierre Palmade. 

# Une très très bonne raison…

Charlotte Rampling à Michel Serrault dans ***On ne meurt que deux fois*** (1985).

— J'ai envie de faire l'amour avec vous. Je viens de vous le dire, c'est tout.
— Envie de faire l'amour avec moi ? Comme ça, sans raison…
— L'idée que vous allez me faire jouir, vous ne trouvez pas que c'est une excellente raison ?

Réalisé par Jacques Deray. Adaptation de Michel Audiard et Jacques Deray d'après le roman de Robin Cook. Dialogues de Michel Audiard. 

# Additions et divisions…

Bernard Blier à Jean Gabin dans ***Le Cave se rebiffe*** (1962).

— Entre nous Dabe. Une supposition, je dis bien une supposition, que j'ai un graveur, du papier et que j'imprime pour un milliard de biffetons. En admettant, encore une supposition, qu'on soit cinq sur l'affaire, ça laisserait net combien à chacun ?
— Vingt ans de placard ! Les bénéfices ça se divise, la réclusion ça s'additionne…

Réalisé par Gilles Grangier. Adaptation de Michel Audiard, Gilles Grangier et Albert Simonin d'après son roman. Dialogues de Michel Audiard. 

# Aux grands maux, les grands remèdes !

Bernard Blier dans ***Faut pas prendre les enfants du bon Dieu pour des canards sauvages*** (1968).

Le tocsin va sonner dans Montparnasse. Il y a le choléra qui est de retour, la peste qui revient sur le monde. Carabosse a quitté ses zoziaux. Bref, Léontine se repointe. Bon, je récapitule dans le calme : on la débusque, on la passe à l'acide, on la dissout au laser et on balance ce qui reste dans le lac Daumesnil !

Réalisé par Michel Audiard. Scénario de Henri Viard, Jean-Marie Poiré et Michel Audiard. Dialogues de Michel Audiard. 

## Le choix des mots

Maurice Biraud à Charles Aznavour parlant de Lino Ventura, dans ***Un Taxi pour Tobrouk*** (1960).

— Fais pas attention, Théo est une brutalité de la guerre.
— En langage clinique, on appelle ça un paranoïaque, en langage militaire, un brigadier !

Réalisé par Denys de La Patellière. Dialogues de Michel Audiard. 

# Avoir maille à partir…

Isabelle Nanty dans ***3 zéros*** (2002).

*(Isabelle Nanty tient à bout de bras un club de football féminin amateur…)*

Le club peut disparaître… D'autant plus qu'à la mairie, ça arrangerait pas mal de monde de nous sucrer la subvention. Tu comprends, ils ont mis le paquet sur le "Club tricot". Tout ça parce que l'an dernier ils ont fait une écharpe de 12 kilomètres pour le Téléthon. Tu peux pas lutter !

Réalisé par Fabien Onteniente, scénario, adaptation et dialogues de Fabien Onteniente, Philippe Guillard et Emmanuel Booz. 

# Alors que, femmes à lunettes...

Thierry Lhermitte dans ***La Totale*** (1991).

Tu connais le proverbe bourguignon ? Bonjour lunettes, adieu quéquette !

Réalisé par Claude Zidi, scénario de Simon Michaël et Claude Zidi d'après une idée originale de Claude Zidi, dialogues de Didier Kaminka. Films 7/Film par Film/Paravision international/MDG Production/TF1 Films Production.

# Le prénom qui change tout...

Marina Vlady à Michel Galabru dans ***Duos sur canapé*** (1979).

— C'est un acteur de théâtre. Robert Burton !
— Je connais un Richard Burton. Mais Robert… Faudra qu'il se fasse un prénom !

## C’est pour un plombage ?

Aure Atika et Gérard Jugnot dans ***Trafic d’influence*** (1999).

— Dites-lui, Ravanelli, que je vais le descendre ! Dites-lui que quand je suis énervée, je peux faire n’importe quoi ! Dites-lui que je crois qu’il ne comprend pas ! Expliquez-lui que je vais le descendre !
— Je crois qu’il a très bien compris, mais qu’il peut pas parler à cause du revolver dans la bouche…

# Je t'aime moi non plus !

Thierry Lhermitte à Caroline Cellier dans ***Le Zèbre*** (1992).

— Je pars, je te quitte.
— Mais qu'est-ce que tu racontes ?
— Je crois qu'il faut avoir le courage de se séparer pendant que notre amour veut encore dire quelque chose.
— Qu'est-ce qui te prend ?
— Je te demande pardon de t'avoir épousée. Mon amour aurait dû être assez fort pour m'en empêcher. La passion vieillit mal dans le mariage. Je le savais.
— Tu as rencontré quelqu'un ?
— … Ah ! Ben voilà ! C'est bien. Voilà ce que je voulais savoir. Si tu pouvais encore être angoissée, comme ça, spontanément, au réveil.
— Décidemment, je ne m'habituerai jamais à tes conneries.
— Je peux encore te faire mal, mon amour, je suis heureux !

Réalisé par Jean Poiret, scénario et dialogues de Jean Poiret, adaptation de Jean Poiret et Martin Lamotte d'après le roman d'Alexandre Jardin. 

# Appel au viol avec consentement !

Isabelle Spade dans ***La Veuve de Saint-Pierre*** (2000).

(*Appréciant particulièrement le sex-appeal de Daniel Auteuil.*)

Cet homme là n'a même pas besoin de nous foutre pour faire cocus nos maris !

Réalisé par Patrice Leconte, scénario de Claude Faraldo, adaptation de Patrice Leconte. © Epithète Films/Cinémaginaire/France 3 Cinéma/France 2 Cinéma.

## Un moment d'égarement !

Thierry Lhermitte dans ***L'Ex-femme de ma vie*** (2004).

Je me suis laissé aller à une déviance. Un jour, j'ai voulu sodomiser un zèbre et l'animal est mort de peur ! J'ai eu la SPA au cul… Ça a été très dur parce que… la bête était mineure… !

# Cherche pas, tu peux pas rattraper ça !

José Garcia à… sa mère dans ***La Vérité si je mens ! 2*** (2001).

*(José Garcia, pensant s'adresser à une fille facile.)*

— Allô ? Je suis un copain de Dove, il m'a dit que t'aurais rien contre un petit 5 à 7 avec un mec super bien monté. Ça tombe bien, je suis un gros gros chaud de la bite. Tu sais quoi ? Je vais te casser tes petites pattes arrières et je vais te faire bouffer ton polochon. T'entends ?
— Serge ? C'est toi, mon fils ?

Réalisé par Thomas Gilou, scénario de Michel Munz et Gérard Bitton. 

## Faudrait savoir !

Marc Lavoine à Zoé Félix dans ***Toute la beauté du monde*** (2006).

— Tant qu'on ne me tutoie pas, je vouvoie.
— Ça peut durer longtemps ton histoire.
— Tu as raison, je vais te tutoyer. *(Elle sourit.)* J'aime tous tes sourires…
— *(Silence glacial.)*
— Ah ! c'est l'inconvénient du tutoiement, ça incite à la familiarité.
— On va peut-être revenir au vous, alors !

## Mythique !

Bernard Blier à Jean Lefèbvre dans ***Les Tontons flingueurs*** (1963).

En pleine paix ! Il chante et puis crac ! Un bourre-pif ! Mais il est complètement fou ce mec. Mais moi les dingues, je les soigne. Je m'en vais lui faire une ordonnance et une sévère. Je vais lui montrer qui c'est Raoul. Aux quatre coins de Paris qu'on va le retrouver, éparpillé, par petits bouts, façon puzzle !

Réalisé par Georges Lautner. Scénario de Georges Lautner et Albert Simonin d'après son roman *Grisbi or not grisbi*. Dialogues de Michel Audiard. 

## Lourd, le mari de l'actrice

Yvan Attal à Charlotte Gainsbourg dans ***Ma femme est une actrice*** (2001).

— Vas y, dis-moi la vérité. T'as couché avec lui ?
— J'ai pas couché avec lui. Putain, y'a que ça qui t'intéresse ?
— Non, y'a la botanique aussi, mais là en l'occurrence, oui, c'est ça qui m'intéresse.

## 144

# Rapide et efficace !

Anémone à Thierry Lhermitte dans ***Le Père Noël est une ordure*** (1982).

J'ai presque terminé mes gants pour mes petits lépreux de Jakarta. Je trouve ça complètement inutile, c'est tout la Croix-Rouge ça. Ils me demandent de faire des gants à trois doigts ! Vous ne croyez pas que j'aurais plus vite fait de faire des moufles ?

Réalisé par Jean-Marie Poiré. Adaptation et dialogues de Jean-Marie Poiré et Josianne Balasko, Marie-Anne Chazel, Christian Clavier, Gérard Jugnot, Thierry Lhermitte et Bruno Moynot d'après la pièce éponyme par l'équipe du Splendid. 

# À la guerre comme à la guerre...

Jean Lefèbvre à Pierre Mondy dans ***On a retrouvé la 7e compagnie*** (1975).

— Je me demande ce que ferait ma bonne femme si les Allemands venaient piller chez nous.
— Moi, je vais te le dire, elle les ficherait dehors.
— Ouais... Le lendemain.

Réalisé par Robert Lamoureux, scénario de Jean-Marie Poiré et Robert Lamoureux. © Gaumont International/
Production 2000.

## Pauvres diables...

Michel Blanc à Denis Podalydès dans ***Embrassez qui vous voudrez*** (2002).

— Bonsoir, vous n'avez pas vu Lulu ?
— Lulu ?
— Ma femme Lulu.
— Ah ! non.
— C'est pas facile de vivre avec quelqu'un qui se tape tout ce qui bouge vous savez.
— Remarquez, l'inverse c'est pas facile non plus…

# La Soif de l'or...

Yves Montand à Louis de Funès dans ***La Folie des grandeurs*** (1971).

*(En faisant tinter des pièces d'or…)*

— C'est "l'hor"… Il est "l'hor"… "L'hor" de se réveiller… Monseignor… Il est huit "hor"…

— Il en manque une !

— Vous êtes sor ?

— Ça alors !

Réalisé par Gérard Oury. Scénario, adaptation et dialogues de Gérard Oury, Danièle Thompson et Marcel Jullian.

## *Holes on the green !*

Jess Hann dans ***Le Saint prend l'affût*** (1966).

C'est avec cette mitraillette-là qu'Al Capone a fait son premier carton. À Michigan avenue. Un nommé Cosimaco… Une vraie partie de golf : dix-huit trous !

Réalisé par Christian-Jaque. Écrit par Jean Ferry, Christian-Jaque, Henri Jeanson et Marcel Jullian.

## Tu attends qu'elle demande !

Jean-Pierre Bacri à Alain Chabat dans ***Didier*** (1997).

*(Jean-Pierre Bacri parle à son chien réincarné en homme…)*

On ne sent pas le cul ! On ne sent pas le cul des filles ! Voilà… Sauf si c'est elle qui demande. Si c'est elle qui demande, tu vois avec elle !

## Comme un pneu sans jante...

François Cluzet à Isabelle Carré dans ***Quatre Étoiles*** (2006).

*(Un pilote automobile fait sa déclaration…)*

— C'est depuis que je vous ai rencontrée. D'abord je dors plus…
— Ça fait seulement une nuit…
— Ensuite, j'arrive même pas à dire ce que j'ai à l'intérieur de moi-même. Tout me bouleverse chez vous. Vos gestes, votre voix, votre gaité… Avant ma vie n'avait aucun sens, j'étais comme un moteur sans essence, une voiture sans volant !

Réalisé par Christian Vincent. Scénario et dialogues d'Olivier Dazat et Christian Vincent. 

## Ça n'arrive qu'au cinéma...

Fabrice Luchini à une inconnue dans ***Zig Zag Story*** (1983).

— Je vous dérange ?
— Ça dépend pour quoi…
— A-t'on déjà satisfait tous vos caprices sexuels ?
— Justement, non. Vous tombez bien !

## PSG vs Lhermitte

Mar Sodupe à Thierry Lhermitte dans ***L'Invité*** (2007).

— Tu n'as plus envie de moi ?
— Beaucoup moins depuis que j'ai appris que vous étiez mariée avec un supporter du PSG.
— Mais il est pas si méchant que ça !
— Pas si méchant ? Il a balafré un type de l'OM qui lui avait sourit, alors j'imagine sa réaction si il apprend que j'ai sauté sa femme !

## Vive les privilèges !

Pascal Légitimus, Artus de Penguern et Muriel Robin dans ***Saint Jacques… La Mecque*** (2005).

— Ah ! excusez-moi, mais dans les gîtes on ne réserve pas les lits. Le premier arrivé choisit son lit.
— Oui, c'est ça, c'est l'anarchie.
— Pour lui, l'anarchie, c'est quand il est pas servi le premier !

## Bourre-pif à Janson de Sailly !

Lino Ventura à Mireille Darc dans ***Les Barbouzes*** (1964).

— Si je vous disais déjà qu'à treize ans, je me suis fait virer du lycée Janson de Sailly pour un malheureux coup de poing dans la gueule. Je défendais un petit et quand…
— Francis…
— Ah ! parce que j'ai peut-être jamais pris de coups dans la gueule ?
— Si, souvent même. Mais pas à Janson de Sailly…

Réalisé par Georges Lautner, scénario de Michel Audiard et Albert Simonin, dialogues de Michel Audiard.

## Le choc des mondes...

Alain Chabat à Gad Elmaleh dans ***Chouchou*** (2003).

— Stanislas de la Tour Maubourg.
*(Il lui fait le baise main.)*
— Chouchou, d'la place Clichy.

Réalisé par Merzak Allouache, scénario et dialogues de Gad Elmaleh et Merzak Allouache. Films Christian Fechner/France 2 Cinéma/Fechner Production/KS2 productions.

## Pacifique jusqu'au bout !

Gérard Depardieu à Pierre Richard dans ***La Chèvre*** (1981).

*(Pierre Richard s'enfonce dans des sables mouvants sans bouger…)*

— Et vous vous enfoncez sans réagir ?
— Mais si je réagis, je m'enfonce encore plus. C'est bien connu, il faut pas se débattre dans les sables mouvants.
— Perrin, il n'y a pas de sables mouvants signalés dans cette région.
— Ben, si vous voulez mon avis, il est temps de les signaler !

## Quand les enfants s'en mêlent...

Isabelle Nanty et ses enfants dans ***Le Bison*** (2003).

— Sainte Marie, donnez-moi la force de gagner l'espoir.
— Dans espoir, il y a poire.
— Sainte Marie, faites qu'on trouve papa…
— Et éventuellement sa pute !

Réalisé par Isabelle Nanty, scénario, adaptation et dialogues de Isabelle Nanty et Fabrice Roger Lacan.

# Le sens de la nuance

Martine Chevalier à Jacques Boudet dans ***La Confiance règne*** (2004).

— C'est elle la voleuse. C'est inscrit dans ses gènes, elle le porte sur le visage.
— Vous êtes définitivement une femme de droite, ma pauvre Françoise.
— Gaulliste… Nuance !

Réalisé par Étienne Chatilliez, scénario et dialogues de Laurent Chouchan et Étienne Chatilliez. 

# La femme de son pote...

Isabelle Huppert à Coluche dans ***La Femme de mon pote*** (1983).

*(Coluche vient de « s'envoyer » la copine de son meilleur ami…)*

— T'es toujours aussi désagréable après avoir fait l'amour ?
— Ça dépend avec qui. Tu voudrais quand même pas que je roucoule…
— Tu m'as quand même dit que tu m'aimais, je te le signale.
— Oui, ben je dis ça à tout le monde, voilà ! Je dis tout le temps ça aux filles. Qu'est-ce que tu veux, c'est plus fort que moi, faut que je parle quand je baise alors je dis des conneries !

## Crise cardiaque assurée !

Marie-Paule Belle à Marc Jolivet dans ***Alors, heureux ?*** (1979).

*(Marc Jolivet se trouve chez sa cardiologue…)*

— Bon, au début j'ai cru que vous aviez une… (*Gênée…*) C'est difficile à dire…
— Non, non docteur, je préfère que vous me disiez.
— (*Hésitante*) Bon, vous avez une artério… Une broncho… Une… Je vous avais bien dit que c'était difficile à dire !

## Monsieur a l'air connaisseur...

Sam Karmann à Jean-Pierre Bacri dans ***Cuisine et Dépendances*** (1993).

— Entre parenthèses, quel morceau cette Maryline ! Tu ne trouves pas qu'elle est extrêmement bien faite ? Non, non, elle est extrêmement bien faite… Elle a un énorme capital…
— Oui, d'ailleurs, on dirait qu'elle l'a bien compris, elle investit absolument tout là-dessus.
— À sa place, j'investirais aussi. Oh ! quel cul !

## Courageux, mais… frileux

Alain Chabat dans ***Prête-moi ta main*** (2006).

J'avais décidé de fuir cette maison pour partir seul… à l'aventure ! Mais pas ce soir-là parce qu'il fait un peu froid dehors quand même…

Réalisé par Éric Lartigau, scénario de Laurent Zetoun, Philippe Mechelen, Grégoire Vigneron, Laurent Tirard et Alain Chabat. 

## Einstein ou... Forrest Gump !

Gérard Depardieu à Jean-Paul Rouve dans ***Je préfère qu'on reste amis***...
(2005).

— Ça m'a fait plaisir d'avoir rencontré ta mère. Ça devait être une sacrée bonne femme. À quel âge elle t'a eu exactement ?
— 45 ans. Le médecin lui a dit que pour un premier enfant, elle aurait soit un génie, soit un débile.
— (*Gêné*...) Oui...

164

## Imagination « débridée »…

Rémy Girard à Pierre Curzi dans ***Le Déclin de l'empire américain*** (1986).

— Tu devrais voir la petite Vietnamienne que j'ai dans mes cours. Une splendeur !
— Le problème avec les Asiatiques c'est que j'ai toujours l'impression qu'elles s'en vont porter mon argent à leur jeune frère malade. J'arrive jamais à les imaginer ontologiquement vicieuses !

## Pris en flag !

Lambert Wilson à Valérie Lemercier dans ***Palais royal !*** (2005).

— Je t'assure, je venais de lui dire que tout était fini. Elle pleurait, c'est pour ça que je l'ai prise dans mes bras, pour la consoler…
— Tu diras ça à tes petites filles… C'est bien leur papa, dans les bois avec leur gentille marraine, des feuilles mortes collées sur les fesses. C'est royal, ça !

166

## Premier round…

Emmanuelle Seigner à Alain Chabat dans ***Ils se marièrent et eurent beaucoup d'enfants*** (2004).

*(Emmanuelle Seigner et Alain Chabat se disputent, elle a un œil au beurre noir…)*

— C'est ça, va t'acheter ta bagnole ! On n'a que ça à foutre avec notre pognon !
— Mais arrête de gueuler, putain. Et arrête la boxe, on va croire que c'est moi qui te tape dessus !

# Les fameux « doubitchous » de Sofia !

Thierry Lhermitte et Anémone à Bruno Moynot dans ***Le Père Noël est une ordure*** (1982).

*(Anémone et Thierry Lhermitte goûtent les fameux « doubitchous » de M. Preskovik…)*

— Hum… Je ne sais pas si vous avez remarqué Thérèse, il y a une espèce de deuxième couche à l'intérieur…
— Oui, c'est fin, c'est très fin, ça se mange sans faim…
— C'est une fabrication artisanale.
— Oui, effectivement, on a un petit peu l'impression que c'est fait… à la main, quoi.
— Oui c'est fait à la main, c'est roulé à la main sous les aisselles !

Réalisé par Jean-Marie Poiré, adaptation et dialogues de Jean-Marie Poiré et Josiane Balasko, Marie-Anne Chazel, Christian Clavier, Gégard Jugnot, Thierry Lhermitte et Bruno Moynot d'après la pièce éponyme par l'équipe du Splendid. 

## De génération en génération...

Samuel Le Bihan à Guillaume Gallienne dans ***Jet Set*** (2000).

— Il y a longtemps que vous vivez ici ?
— Quatre siècles.
— Ah ! Quand même !

Réalisé par Fabien Onteniente, scénario de Fabien Onteniente adaptation et dialogues de Fabien Onteniente, Bruno Solo et Emmanuel de Brantes. 

## *Midnight Express !*

Un collègue à Coluche dans ***Banzaï*** (1983).

*(Dans les bureaux de l'assureur Planète Assistance…)*

— Michel, j'ai un abonné en cabane à Istanbul…
— Oui mais qu'est-ce que tu veux, c'est des jolis pays mais tous les chemins mènent en prison !

Écrit et réalisé par Claude Zidi, adaptation et dialogues de Didier Kaminka, Michel Fabre et Claude Zidi.

# VO-LON-TÉ !

Théo Légitimus à Didier Bourdon dans ***Le Pari*** (1997).

— Comme en ce moment, je ne dors pas, je fume beaucoup et comme je veux arrêter de fumer…
— Ah bon ? Ah ! Ben vous tombez bien. J'ai arrêté.
— Ah bon ?
— Oui et puis je peux vous dire, il n'y a pas 36 000 remèdes, hein ? UN SEUL : la VO-LON-TÉ !
— Bravo. Depuis combien de temps ?
— Un jour ! La VOLONTÉ, Monsieur Léopold, de la VOLONTÉ !

## Un homo, comme ils disent...

Fanny Ardant à Richard Berry dans ***Pédale douce*** (1996).

— J'imaginais votre tête en apprenant qu'un de vos collaborateurs en était.
— En était ?
— … Du bâtiment, de la jacquette.
— Du bâtiment ?
— Homo ! Pédale ! Averti !
— Attendez ! Nous, on fait des affaires. Pas des robes.
— Quel dommage !

Réalisé par Gabriel Aghion, scénario de Gabriel Aghion, adaptation de Gabriel Aghion et Patrick Timsit, dialogues de Pierre Palmade. 

# Avec ou sans capote... Ça change tout !

Lino Ventura à Serge Sauvion dans ***Ne nous fâchons pas*** (1966).

— Je roulais doucement, tranquillement à ma droite et c'est Monsieur qui brûle un stop et qui m'emplâtre. Bon, je souligne poliment l'infraction, je souris quand cette espèce de possédé commence à me dire un tas de gros mots que j'ose même pas vous répéter Monsieur le commissaire. Bon, j'ai peut-être eu tort de le tirer par la cravate à l'intérieur de ma décapotable… Mais c'est tout Monsieur le commissaire !

— Et c'est ainsi que vous lui avez fendu le cuir chevelu et ouvert l'arcade sourcilière.

— Ah, ça oui… J'avais changé de voiture et j'ai oublié qu'elle était pas décapotable, voilà !

Réalisé par Georges Lautner. Scénario de Marcel Jullian, Georges Lautner et Michel Audiard, d'après une idée originale d'Alain Poiré. Dialogues de Michel Audiard. 

## L'âge fatidique !

Gérard Jugnot à Jacqueline Doyen dans ***Le Garde du corps*** (1983).

— Écoute maman, j'en ai marre que tu m'autorises ou que tu m'interdises. J'ai 33 ans !
— Eh bien justement, c'est l'âge où on fait des bêtises. Regarde le Christ !

Réalisé par François Leterrier, scénario de Didier Kaminka, François Leterrier et Gérard Jugnot, dialogues de Didier Kaminka, d'après une idée originale de Yves Kermorvan. 

## Marthe, la malfaisante !

Voix off de Michel Audiard dans ***Vive le France*** (1974).

Conséquence inéluctable de la vie au grand air et du développement musculaire, mai 68 est une résultante d'avril 46. Le responsable, ce n'est pas Cohn-Bendit, c'est Marthe Richard !

## Et si tu peux passer à la pompe…

José Garcia à Richard Anconina dans ***La Vérité si je mens !*** (1997).

— Serge, passe-moi les clés de ta caisse, vite.
— Ma caisse, mais t'es fou, y'a que moi qui sait la conduire !
— Je t'en supplie, tu me sauves la vie…
— Bon, tu fais super gaffe, elle est hyper fragile. C'est la BM qui est devant la porte. Eh ! tu passes par la portière passager… Et si tu peux mettre un petit peu d'essence !

Réalisé par Thomas Gilou. Scénario, adaptation et dialogues de Gérard Bitton et Manuel Munz.

## *Remember* Athènes

Michel Blanc à Gérard Lanvin dans ***Marche à l'ombre*** (1984).

— Qu'est-ce qu'on a besoin de retourner à Paris, du boulot on en avait à Athènes, non ?
— Ouais, t'as raison. Lequel tu préférais : quand on lavait les chiottes du camping ou quand on jouait du bouzouki, habillés en bergers ?

## À l'arrière d'un semi-remorque ? Vraiment pas ?

Nathalie Baye dans ***Une liaison pornographique*** (1999).

D'habitude, les gens ont des fantasmes et en fait… on veut que ça reste au stade de fantasme. Comme… Je sais pas, moi… Comme les viols collectifs. Beaucoup de femmes ont des fantasmes de viol collectif. Mais bon, d'ici à se faire violer par une demi-douzaine de… gros… camionneurs, non !

## Place aux jeunes !

Louis de Funès à Jean-Claude Brialy, dans ***Carambolages*** (1963).

Mon petit Martin, nous sommes trahis, nous sommes torpillés. Le dernier Conseil des ministres vient de reculer l'âge de la retraite de cinq ans, c'est la victoire des fossiles !

Réalisé par Marcel Bluwal et Pierre Tchernia. Dialogues de Michel Audiard. 

# Prêts pour Koh-Lanta !

Benoît Poelvoorde à Gérard Lanvin dans ***Le Boulet*** (2001).

*(Benoît Poelvoorde tend à Gérard Lanvin la photo d'une caravane…)*

Ça, c'est mon rêve ! C'est le *Forsight PS 30*, turbo diesel. Entièrement équipée cuir et bois. Deux couchettes. 19 mètres carrés de convivialité. Ma femme et moi, on est un peu aventuriers, tu vois… Elle aimerait bien faire tous les châteaux de la Loire !

Réalisé par Alain Berberian et Frédéric Forestier, scénario, adaptation et dialogues Matt Alexander et Thomas Langmann. 

## Elle était prévenue, merde !

Carole Bouquet dans ***Bienvenue chez les Rozes*** (2003).

*(Yolande Moreau, la femme de ménage, gît sur le pavé, assassinée par Carole Bouquet…)*

De toute façon, je voulais m'en séparer. Elle ne faisait pas les coins. Cent fois, je lui ai dit de passer l'aspirateur sous le lit, cent fois !

## Noyade annoncée !

Robert Vattier à Charpin dans ***Fanny*** (1932).

— Franchement, est-ce que ce bateau chavire ?
— Mais mon cher Monsieur Brun, mais tout chavire dans la nature, et naturellement surtout les bateaux [...] Vous garantir que le *Pitalugue* ne chavirera jamais, je ne le peux pas. Ce sont les risques de la navigation. Si vous voulez aller sur la mer sans aucun risque de chavirer, alors n'achetez pas un bateau, achetez une île !

Réalisé par Marc Allégret et écrit par Marcel Pagnol d'après son œuvre. 

## Confessions masculines

Jacques Grello à Gérard Philipe dans ***Pot-Bouille*** (1957).

— On épouse une jeune fille pudique et réservée, on se réveille avec une inconnue. Une folle qui vous trompe pour le plaisir…
— Si l'on savait avant qui l'on épouse, tout le monde serait célibataire.

Réalisé par Julien Duvivier, scénario et adaptation de Léo Joannon et Julien Duvivier, d'après le roman d'Émile Zola. Dialogues d'Henri Jeanson. 

## Sondage IPSOS ?

Jean Gabin dans ***Mélodie en sous-sol*** (1963).

Dans les situations critiques, quand on parle avec un calibre bien en pogne, personne ne conteste plus ! Y'a des statistiques là-dessus…

Réalisé par Henri Verneuil, scénario de Albert Simonin, Michel Audiard et Henri Verneuil, d'après le roman de John Trinian. Dialogues de Michel Audiard. 

## Faut tout leur dire à ces mecs !

Judith Godrèche à Richard Berry dans ***J'veux pas que tu t'en ailles*** (2007).

— Je te rejoins, je vais me faire une beauté.
— Mais tu n'en as pas besoin.
— Je vais faire pipi si tu préfères !

## De l'art éphémère…

Karin Viard à Thierry Lhermitte dans ***L'Ex-femme de ma vie*** (2004).

— Il voulait pas que je fasse le ménage. Ça lui bloquait l'inspiration.
— Oui, enfin, de là à laisser des ordures au milieu de la pièce… euh…
— Mais c'est une sculpture !
— Ah pardon !
— Oui, c'est une installation. Il travaille sur la dégradation des objets de consommation.
— Ah ! ouais… c'est bien… hein…c'est bien dégradé…

**186**

## Audiard - Belmondo - Lautner : du triphasé !

Jean-Paul Belmondo dans ***Le Guignolo*** (1980).

Tout le charme de l'Orient. Moitié loukoum, moitié ciguë. L'indolence et la cruauté…
En somme, le Coran alternatif !

Réalisé par Georges Lautner, dialogues de Michel Audiard. 

# Régime révolutionnaire !

Vincent Elbaz à sa femme, Elsa Kikoïne, et l'amie de sa femme, Cécile Cassel dans ***Ma Vie en l'air*** (2005).

— Le régime absolu ? Une récente étude européenne a montré que les femmes qui avalaient la semence de leur compagnon perdaient jusqu'à 48 % de poids par rapport aux femmes qui avalaient pas. Ça viendrait d'un ingrédient contenu dans la semence éjaculatoire et qui brûlerait les calories dans le système digestif.
— T'es bourré ?
— En plus du sperme, les autres composantes de la semence, c'est de l'eau, du zinc, des vitamines C, des substances prostaglandines, des substances alcalines. C'est marrant, parce que dans les concentrations chimiques, l'alcaline, ça a pas cet effet, normalement, de brûler les calories. Mais là, mélangé avec le sperme, c'est hallucinant, ça a des effets stupéfiants. Magique ! Comme quoi, ben pour maigrir, faut avaler !

## Prétentieuse...

Patrick Timsit dans ***Pédale douce*** (1996).

Il n'y a pas d'hétéros,
il n'y a que des mecs mal dragués !

Réalisé par Gabriel Aghion, scénario de Gabriel Aghion, adaptation de Gabriel Aghion et Patrick Timsit, dialogues de Pierre Palmade. 

189

## Heureuse et épanouie !

Victor Lanoux dans ***Un éléphant ça trompe énormément*** (1976).

*(À propos de sa femme qu'il cocufie du matin au soir…)*

Marie-Ange, elle a les mômes, la maison, son transistor, 38 piges, j'aime pas les formules mais… c'est une femme heureuse, quoi !

Réalisé par Yves Robert, scénario et dialogues de Jean-Loup Dabadie et Yves Robert. 

## 190

# Épisode 1/recto

Michel Bouquet à Jérôme Hardelay dans ***Les Côtelettes*** (2003).

— Quel âge il a ce jeune homme ?
— J'ai l'âge des premiers troubles.
— Tu t'intéresses au foot ?
— Non, absolument pas.
— A la boxe ?
— Non, pas du tout.
— Aux courses de bagnoles ?
— Encore moins.
— Ouais, il sera homosexuel…

Écrit et réalisé par Bertrand Blier d'après sa pièce. 

## Épisode 2/verso

Philippe Noiret à Jérôme Hardelay puis à Anne Suarez dans ***Les Côtelettes*** (2003).

— D'abord comment ça se fait que t'aimes pas la boxe ?
— J'aime pas les jeux brutaux.
— Est-ce qu'il y a seulement un truc que tu aimes ?
— Oui, y'a plein de trucs que j'aime.
— Quoi par exemple ?
— La couture. J'aime beaucoup la couture.
— Ils sont tous pédés les couturiers…
— Eh ben, il sera pédé. Ce sera toujours ton fils, non ?

Écrit et réalisé par Bertrand Blier d'après sa pièce. 

192

## Les secrets du Vatican...

Dominique Michel et Yves Jacques dans ***Le Déclin de l'empire américain*** (1986).

— Des fois, je me dis qu'on devrait faire confiance seulement aux gens qui parlent d'eux-mêmes. Uniquement. Le Pape devrait pas avoir le droit de parler d'autre chose que de la masturbation, puis des troubles de la prostate. C'est tout ce qu'il connaît.
— Il connaît les banques aussi. Il connaît la CIA. Tu sous-estimes le Pape...

# La belle formule !

Marina Vlady à Michel Galabru dans ***Duos sur canapé*** (1979).

*(Michel Galabru porte Marina Vlady dans ses bras…)*

— Je ne suis pas trop lourde ?
— Si je t'aime, c'est parce que, justement, je n'aime pas les femmes légères…

# À deux ou trois près…

Jean Paul Rouve à une prétendante dans un *speed dating* dans *Je préfère qu'on reste amis…* (2005).

— Combien d'aventures amoureuses,
à deux ou trois près ?
— Euh… À deux ou trois près… Une !

Écrit et réalisé par Éric Toledano et Olivier Nakache. © Yumé/Quad Production/Studiocanal/France 3 Production.

# À peine trente ans d'écart...

Charles Boyer à Michèle Morgan dans ***Maxime*** (1958).

— Ah ! si j'avais trente ans de moins…
— J'aurais cinq ans ! Ce serait du joli !

Réalisé par Henri Verneuil. Scénario d'Henri Jeanson et Albert Valentin, dialogues de Henri Jeanson d'après le roman d'Henri Duvernois. 

## Idées progressites...

Jacqueline Maillan à Jean Gabin dans ***Archimède le clochard*** (1963).

Ce domestique est idiot. Notez que je l'ai choisi pour ça. Je n'engage que des domestiques idiots, les autres me volent ! Ou alors les Nègres… Mais on ne trouve plus de Nègres. Ils font tous la révolution ou leur licence de lettres !

Réalisé par Gilles Grangier. Écrit par Albert Valentin, Gilles Grangier et Michel Audiard d'après une idée de Jean Gabin, dialogues de Michel Audiard. 

# Les joies du club !

Dominique Lavanant, Gérard Jugnot et Michel Blanc dans ***Les Bronzés*** (1978).

*(Au petit matin…)*

D. LAVANANT. — J'ai pas retrouvé ma case hier soir…
G. JUGNOT. — Moi non plus, j'ai pas retrouvé ma femme !
M. BLANC. — Moi, j'ai pas retrouvé ma valise !
G. JUGNOT. — J'ai été obligé de passer la nuit avec cette femme charmante aux sanitaires.
D. LAVANANT. — Je précise que je peux être charmante ailleurs qu'aux sanitaires…

Réalisé par Patrice Leconte. Écrit par l'équipe du Splendid et Patrice Leconte. 

## Vocation intra-utérine !

Samuel le Bihan à Gérard Lanvin dans ***3 zéros*** (2002).

Le foot, c'est ma vie, m'sieur Colonna. Pour vous dire, je suis sorti par les pieds quand je suis né.

Réalisé par Fabien Onteniente, scénario, adaptation et dialogues de Fabien Onteniente, Philippe Guillard et Emmanuel Booz. 

# Fuir le bonheur...

Thierry Lhermitte à Eddy Mitchell dans ***La Totale*** (1991).

— Comme chaque année depuis 18 ans, elle va me faire la surprise de m'emmener au restaurant pour fêter mon anniversaire et, comme à chaque fois, je vais faire semblant d'être cueilli.
— Le bonheur c'est le somnifère de l'amour...

Réalisé par Claude Zidi, scénario de Simon Michaël et Claude Zidi d'après une idée originale de Claude Zidi, dialogues de Didier Kaminka. 

# Deux frères

Pierre Brasseur à Jean Gabin dans ***Les Grandes familles*** (1958).

Nous sommes de la même famille et nous avons tous les deux de l'argent. Toi tu représentes le patronat, moi le capitalisme. Nous votons à droite, toi c'est pour préserver la société, moi pour écraser l'ouvrier. Nous organisons un dîner de vingt couverts, toi tu donnes une réception, moi j'organise une partouze. Et si le lendemain nous avons des boutons, toi c'est le homard, moi c'est la vérole !

Réalisé par Denys de La Patellière, dialogues de Michel Audiard. 

# Liberté... Égalité...

Victor Lanoux à Jean Rochefort dans ***Nous irons tous au Paradis*** (1977).

— On fait l'amour libre.
— L'amour libre ?
— Oui, chacun fait ce qu'il veut. Enfin ! Surtout moi ! Parce que, dans la femme, il y a quand même la mère de famille avant tout !

Réalisé par Yves Robert, scénario de Jean-Loup Dabadie et Yves Robert, dialogues de Jean-Loup Dabadie.

# Tous en chœur !

Didier Bénureau à Jean-Paul Rouve dans ***Trafic d'influence*** (1999).

— Labardière a été trésorier de notre parti pendant 12 ans. En ce moment, il se balade dans la nature, avec 12 ans de comptabilité sur lui ! Et tout ça gravé sur son CD de chants grégoriens !
— Ça doit être dur à chanter de la comptabilité en grégorien…

Réalisé par Dominique Farrugia, scénario et dialogues de Dominique Farrugia et Dominique Mezerette.

# Alors, avec ou sans ?

Pascale Arbillot à Alice Taglioni dans ***Notre Univers impitoyable*** (2008).

— C'est quand même un progrès de pas souffrir.
— Je sais, mais moi j'ai une copine au yoga qui a accouché sans péridurale, elle est hyper contente. Elle a eu le sentiment de bien accompagner son bébé…
— Comme par hasard quand les femmes accouchent, elles peuvent se passer d'anesthésie. Ça viendrait à l'idée de personne de dire à un mec, "Eh ! pour votre ablation de la prostate, faites un peu de yoga, puis ça ira !"

# Sauf votre respect, mon général !

Xavier Depraz à Pierre Richard dans ***Je ne sais rien mais je dirai tout*** (1973).

— Et qu'est-ce qu'il fait dans la vie, ce grand garçon ? Il vend des armes comme son papa ?
— Je suis éducateur social, mon général.
— Social ! Dieu ! Ce mot me fait peur…
— Je m'efforce de ramener les brebis perdues dans le droit chemin.
— Et le droit chemin, c'est l'armée ! Dans l'armée, nous sommes tous des éducateurs socials.
— Sociaux, mon général.

Réalisé par Pierre Richard, scénario et dialogues de Pierre Richard et Didier Kaminka. © Les Films Christian Fechner/Renn Productions.

# Les hommes, au placard !

Audrey Tautou à Marie Gillain dans ***Coco avant Chanel*** (2009).

Ce qu'il y a de mieux dans l'amour, c'est faire l'amour… Dommage qu'il faille un type pour ça !

Réalisé par Anne Fontaine. Écrit par Camille et Anne Fontaine, en collaboration avec Christopher Hampton et Jacques Fieschi. 

# Cirque princier !

Nikita Lespinasse à Aure Atika dans ***Comme t'y es belle !*** (2006).

— C'est comme ça les enfants. Moi je me tape le stade de foot tous les dimanches matin avec mon fils. Et l'hiver ! Une caillance, ma fille, j'peux mourir !
— Oui, mais encore le foot, il peut gagner des millions, mais franchement, l'école du cirque, à quoi ça sert ? C'est plouc…
— Ah non ! dis pas ça, elle peut rencontrer le fils de Stéphanie de Monaco !

Réalisé par Lisa Azuelos, scénario de Lisa Azuelos avec la collaboration de Michaël Lellouche et Hervé Mimran.

# Boire sur une grande échelle...

Louis de Funès à Jean Carmet dans ***La Soupe aux choux*** (1981).

— Qu'est-ce qu'il y a ?
— J'peux plus respirer ! Dis donc, j'aurais pu me tuer, hein ! Appelle donc les pompiers.
— Pourquoi ? T'as soif ?

Réalisé par Jean Girault, adaptation de Louis de Funès et Jean Halain d'après le roman de René Fallet.

## Les secrets de la gloire !

Benoît Poelvoorde à Vanessa Paradis dans ***Atomik Circus*** (2004).

— Tiens écoute ça. (*Il allume le lecteur de disques*) Qu'est ce qu'on dirait ?
— ?
— C'est un chanteur indien. Il pèse 27 kilos, il est anorexique. Il a été opéré des cordes vocales à Jakarta, c'est un véritable charnier… En attendant il est numéro 1 au top 50 !

Réalisé par les frères Poiraud, scénario de Jean-Philippe Dugand, Didier Poiraud, Thierry Poiraud, Vincent Tavier, Marie Garel-Weiss d'après l'univers imaginé de X90 et Didier Poiraud. Entropie Films/TF1 Films Production/
MMC Independent/Invicta Fimworks.

## Ne me cachez pas ce sein…

Christophe Bourseiller à Danièle Delorme dans ***Un éléphant ça trompe énormément*** (1976).

J'aime vos seins. Oui, je ne veux plus vivre sans eux, c'est décidé… J'aime vos seins, enfin, surtout le gauche !

Réalisé par Yves Robert, scénario et dialogues de Jean-Loup Dabadie et Yves Robert. 

## Conseil hiérarchique...

Christian Sinniger à Jean Reno dans ***Wasabi*** (2001).

*(Jean Reno est contraint par son boss à un congé forcé.)*

— Profitez de ces deux mois pour vous relaxer. Faites un peu de shopping.
— J'ai horreur du shopping.
— Eh ben ! forcez-vous ! Achetez deux trois trucs un peu... fun, comme ils disent ! Je suis sûr qu'un beau gaillard comme vous, avec une chemise Armani et un peu de parfum... Vous n'allez pas rester célibataire longtemps.
— C'est une mise à pied ?
— Non. C'est une mise en jambe, Hubert !

Réalisé par Gérard Krawczyk, scénario de Luc Besson. 

## Un peu naïve ou aveugle, Marina ?

Marina Foïs à Guillaume Canet dans ***Un Ticket pour l'espace*** (2006).

— Je me suis toujours fait avoir par les hommes…
— Oh ! vous ?
— Oui. Ça a commencé à l'âge de 16 ans. Je suis tombée folle amoureuse d'un homme. Au bout d'un mois, il m'a annoncé qu'il avait 92 ans !

Réalisé par Éric Lartigau, Pierre-François Martin Laval et Fredéric Proust, scénario original et dialogues de Kad et Olivier, et Julien Rappeneau. 

## Vu à la télé !

La voix off et Benoît Poelvoorde dans ***Le Vélo de Ghislain Lambert*** (2001).

*(Un spot publicitaire télévisé met en scène un coureur cycliste…)*

*(Voix off)*
— Comme Ghislain Lambert, faites confiance à Stop Odor, le déodorant qui tue l'odeur sans tuer l'effort.
— Merci Stop Odor.
*(Voix off)*
— À utiliser seulement au niveau des aisselles !

Réalisé par Philippe Harel, scénario et dialogues de Philippe Harel, Benoît Poelvoorde et Olivier Dazat.

# Un Havane sinon rien !

Philippe Noiret et Thierry Lhermitte à un patron de restaurant dans ***Les Ripoux*** (1984).

(*Un restaurateur tente « d'acheter » un flic pour qu'il ferme les yeux sur sa porte non règlementaire…*)

— Une porte comme ça, ça va chercher dans les… C'est… pfff… au moins…
(*Le restaurateur retire l'addition de la table et la glisse dans sa poche.*)
— Je peux vous offrir un petit cigare ?
— Pourquoi petit ?

Réalisé par Claude Zidi, scénario et adaptation de Claude Zidi d'après une idée originale de Simon Mickael, dialogues de Didier Kaminka. 

# Travailler, c'est trop dur et voler c'est pas beau…

Gérard Depardieu à Michel Serrault dans ***Buffet froid*** (1979).

— Vous êtes pas un peu surmené en ce moment ?
— Ça risque pas, je suis chômeur…
— Vous avez bien de la veine.
— Croyez pas ça, y'a rien de plus crevant que de se tourner les pouces.
— Parce que vous croyez peut-être que le travail repose !

# Ma femme vous a adoré !

François Berléand à Guillaume Canet dans ***Mon Idole*** (2002).

(*François Berléand confirme à Guillaume Canet qu'il a très bien fait l'amour à sa femme…*)

— Félicitations. Clara m'a dit que vous aviez été épatant, très doux et en même temps très viril, elle a adoré.
— (*Gêné*) J'suis désolé…
— Ah non ! Bastien, il n'y a aucun problème pour moi, ça me fait plaisir. Vous savez, moi je bande plus depuis avril 93, alors surtout vous gênez pas !

Réalisé par Guillaume Canet, scénario de Guillaume Canet et Philippe Lefebvre, dialogues de Guillaume Canet, Philippe Lefebvre et Éric Naggar. 

## 216

## Mieux vaut faire envie que pitié, non ?

Louis de Funès dans ***Carambolages*** (1963).

Dans la vie, pourquoi ne pourrait-on pas tout avoir ? Puisqu'il y en a qui n'ont rien, ça rétablirait l'équilibre !

Réalisé par Marcel Bluwal, scénario et adaptation de Pierre Tchernia, Marcel Bluwal et Fred Kassak, d'après son roman *Si je tuais le patron*, dialogues de Michel Audiard. 

## Risque maximum !

Jean Gabin dans ***Le Cave se rebiffe*** (1962).

Depuis Adam se laissant enlever une côte, jusqu'à Napoléon attendant Grouchy, toutes les grandes affaires qui ont raté étaient basées sur la confiance. Faire confiance aux honnêtes gens est le seul vrai risque des professions aventureuses !

Réalisé par Gilles Grangier, adaptation de Michel Audiard, Gilles Grangier et Albert Simonin d'après son roman, dialogues de Michel Audiard. 

## Délicieux lapsus...

Daniel Gélin à Michèle Mercier dans ***Retour de manivelle*** (1957).

— Vous êtes jeune et jolie, je ne suis sûrement pas le premier à vous le dire…
— On me le dit à chaque coup !
— Ah ?
— Je veux dire, à chaque fois…

Écrit et réalisé par Denys de La Patellière, d'après le roman *There is Always a Price Tag* de James Hadley Chase, dialogues de Michel Audiard. 

## Symptômes évidents !

Coluche à Éva Darlan dans ***Banzaï*** (1983).

*(Parlant d'un malade à rapatrier de Colombie…)*

— Ça le démange un peu partout, il a des picotements au niveau de l'abdomen et des petits points aigus derrière les yeux ?
— Oui, c'est ça.
— C'est la chiasse. Heu… la dysenterie ! Ça s'attrape facilement là-bas, plus que les contraventions ici, c'est pour dire !

Écrit et réalisé par Claude Zidi, adaptation et dialogues de Didier Kaminka, Michel Fabre et Claude Zidi.

## Couple modèle !

Emmanuelle Devos dans ***La Moustache*** (2005).

On a tout fait bien aujourd'hui ! On est allé t'acheter une veste, elle te plaît pas, à moi si. Je t'ai un peu forcé la main, tu la sortiras jamais de ton placard, c'est très bien. C'est ça un couple !

Réalisé par Emmanuel Carrère, scénario, dialogues et adaptation de Jérôme Beaujour et Emmanuel Carrère d'après le roman éponyme d'Emmanuel Carrère. 

## Un petit coup de pouce ?

Philippe Uchan à Albert Dupontel dans ***Monique*** (2002).

Bon, tu t'emmerdes, d'accord, mais fais quelque chose. Je sais pas, moi, il y a des moyens quand même... Trompe ta femme ! Il y a rien de tel pour remonter le moral... et la queue !

## Le mariage selon papy...

Philippe Noiret à Richard Bohringer dans ***Tango*** (1993).

— Moi je suis hors-concours, j'ai jamais été marié.
— T'as jamais baisé ?
— Mais bien sûr que si. J'ai jamais été marié, c'est pas la même chose.
Mon grand-père disait : "Une bonne branlette vaut mieux qu'un mauvais mariage" et il joignait souvent le geste à la parole.

## Même pas peur du HIV

Guillaume Canet à Francis Leplay dans ***Les Morsures de l'aube*** (2001).

— Quand même, ces temps-ci, pour jouer au vampire, faut être un peu kamikaze, non ? J'pensais que le virus maudit, il avait mis la corporation au chômage technique.
— Ouais, enfin, en même temps, le mec qui se prend pour un vampire, il en a rien à foutre des microbes.
— Ah non ?
— Ben non ! Ben non, parce que, si tu veux, au départ, un vampire, il est déjà mort. C'est pour ça qu'il est vampire. Donc, si tu veux, le mec qui est déjà mort… il en a rien à foutre de tomber malade.
— Ouais, effectivement.
— Ben ouais…

Réalisé par Antoine de Caunes, scénario, adaptation et dialogues de Laurent Chalumeau, librement adapté du roman de Tonino Benacquista. 

## Crash ou jackpot !

Vincent Elbaz dans ***Ma Vie en l'air*** (2005).

(*En voix off*) Sur un vol Paris-Los Angeles, j'avais une chance sur 16 890 804 de me crasher. Au loto, on a une chance sur 13 983 816 d'avoir les six bons numéros. Il y en a bien qui gagnent au loto…

# Freddy est prévenu !

Dimitri Storoge dans ***Ni pour ni contre (bien au contraire)*** (2002).

Tu vois, Freddy, ce genre de fille c'est du bois ! Tu pourras la limer pendant des heures, elle montera jamais en température…

Réalisé par Cédric Klapisch, scénario et dialogues de Santiago Amigorena, Cédric Klapisch et Alexis Galmot.

## Ange ou démon ?

Jean Yanne dans ***Je règle mon pas sur le pas de mon père*** (1999).

*(Parlant de la petite croix dorée qu'une jeune fille porte au cou.)*

Bon Dieu sur le sous-tif. Démon dans la culotte !

Réalisé par Rémi Waterhouse, scénario de Rémi Waterhouse et Éric Vicaut, adaptation et dialogues de Rémi Waterhouse. 

# Les gens du Nord...

Kad Merad à Zoé Félix dans ***Bienvenue chez les ch'tis*** (2008).

*(Évoquant les gens du Nord...)*

— Ils boivent. Tous. Beaucoup.
— Ben, oui, mais ils ont que ça...
— La Poste, là-haut, c'est le Moyen Âge. Quand ils parlent, on comprend rien, ça fait des "Quo ?", des "Ars", des "Bilout", "Hein ?".
— Ben, oui c'est sûr, des alcooliques.
— C'est pas vraiment des alcooliques. C'est qu'ils boivent pour se réchauffer.
— Ben oui, mais comme il fait tout le temps froid, ça revient au même !

Réalisé par Dany Boon, scénario et dialogues de Dany Boon, Franck Magnier et Alexandre Charlot d'après une idée originale de Dany Boon. 

# Le trou de la Sécu !

Marie-Anne Chazel à Christian Clavier dans ***Le Père Noël est une ordure*** (1982).

— C'est tout la sécu ça ! Ils vous donnent un numéro, ça rentre même pas dans les cases. Regardez !
— Qu'est-ce que vous avez foutu dans les cases, ça déborde…
— Ben y'a pas assez de place pour les réponses.
— (*Il lit le formulaire.*) "Exercez vous une activité professionnelle ?". "Ça dépend…". Évidemment, on vous demande de répondre par oui ou par non alors évidemment, "Ça dépend", ça dépasse !

Réalisé par Jean-Marie Poiré. Adaptation et dialogues de Jean-Marie Poiré et Josiane Balasko, Marie-Anne Chazel, Christian Clavier, Gérard Jugnot, Thierry Lhermitte et Bruno Moynot, d'après la pièce éponyme par l'équipe du Splendid. 

## Tu sais ce qu'ils te disent, les traîne-lattes ?

Mireille Darc dans ***Fleur d'oseille*** (1967).

Les jules sont toujours convaincus de leur supériorité, ils nous voient toutes au garde à vous. Le pire demi-sel, le plus toquard des traîne-lattes se prend pour Scarface. Rouler les mécaniques, c'est la maladie des hommes !

Réalisé par Georges Lautner, scénario de Marcel Jullian, Michel Audiard, Jean Meckert et Georges Lautner, d'après le roman de John Amila, dialogues de Michel Audiard. 

## Peinture moderne...

Daniel Auteuil et Valérie Lemercier à Hippolyte Girardot dans ***L'Invité*** (2007).

— Oui, voyez-vous, cette toile, c'est un Wolotchek... Wolotchek... Vous savez le...
— Ça s'appelle "Invitation au voyage".
— Ah ! Ben c'est sûr que quand on voit ça, on a envie de partir très loin !

## Une de perdue...

Alain Chabat à Géraldine Bonnet-Guérin dans ***La Cité de la peur*** (1994).

— Tiffany, je vais pas te prendre la tête avec ça mais est-ce que je peux dormir chez toi ce soir ? J'ai perdu ma mère ce matin.

— Elle est morte ?

— Non, je l'ai perdue. C'est-à-dire qu'elle était là et pouf ! Je l'ai perdue…

Réalisé par Alain Berberian, scénario de Chantal Lauby, Alain Chabat et Dominique Faruggia. 

## Attention, quand les enfants écoutent !

Édouard Baer répond à la petite Marie Martin dans ***Le Bison*** (2003).

— Vafanculo !
— Qu'est-ce que ça veux dire ?
— (*Gêné…*) C'est en Italie… Quand quelqu'un mange trop de pâtes, on lui dit "Vafanculo" ! En français littéral, ça veut dire : "Ça va, les féculents !"

Réalisé par Isabelle Nanty, scénario, adaptation et dialogues de Isabelle Nanty et Fabrice Roger Lacan.

## Richard I, Richard II, Richard III…

Jacques Sereys à Alain Chabat (son fils) et Gad Elmaleh dans ***Chouchou*** (2003).

— Alors, ce Shakespeare hier soir ?
— C'était un vrai beau moment de théâtre, papa. Hein, Chouchou ?
— J'adore Shakespeare… Richard III ! Bon, j'ai pas tout compris, parce que j'avais pas vu le I et le II, mais quand même !

Réalisé par Merzak Allouache, scénario et dialogues de Gad Elmaleh et Merzak Allouache. 

# Pauvres mâles harcelés !

Le jeune Frédéric à Jean Rochefort et Jean-Pierre Marielle dans ***Calmos*** (1976).

— Moi, je v'eux rester célibataire m'sieur.
— Mais le célibat, ne crois surtout pas que ce soit dans la poche. Tiens, moi par exemple, toute ma vie j'ai été poursuivi par une malédiction. À chaque fois qu'une femme me voit, faut qu'elle s'emballe. Tiens voilà Albert ! Ça y est, elle a l'œil qui s'humecte.
— Moi c'est bien simple, depuis ma première communion j'ai l'impression que ma braguette est ouverte. Je passe mon temps à me vérifier !

Réalisé par Bertrand Blier, scénario et dialogues de Philippe Dumarçay et Bertrand Blier. 

## Plus con, tu meurs !

Ramzy à Éric dans ***Seuls Two*** (2007).

— Tu peux me dire comment tu m'as trouvé ici ? (*Au zoo de Vincennes.*)
— Grâce à ma technique, elle marche, regarde. En passant du temps avec toi, j'ai remarqué que tu aimais le rap. Tu aimes 50 cent ? Physiquement, tu fais la moitié : 20 cent. Eh ! Zoo de 20 cent !

Réalisé par Éric et Ramzy, scénario Éric Judor, Ramzy Bedia, Lionel Dutemple et Philippe Lefebvre.

# Quelque chose en lui de Johnny Depp ?

Jean-Paul Rouve à une prétendante dans ***Je préfère qu'on reste amis…*** (2005).

— Je sais très bien que j'ai assez peu de points communs avec Johnny Depp…
— Oh, je trouve pas.
— Ah bon ?
— Non, je rigole !

# Pure et innocente mais pas pour très longtemps !

Pierre Mondy à Jean Tissier dans ***Vous n'avez rien à déclarer ?*** (1959).

*(Parlant de sa fille qui sort d'un couvent, à son futur beau-père…)*

— Elle a tout à apprendre. Si son corps est celui d'une femme, son esprit est aussi pur et aussi simple que celui d'un bébé qui vient de naître.
— Mais c'est merveilleux, c'est agnelle du XX$^{e}$ siècle. "Cette simplicité qui semble s'emparer, demande si l'on fait les enfants par l'oreille…".
— ?
— C'est pas de moi, c'est de Molière !

Réalisé par Clément Duhour, adaptation et dialogues additionnels de Gilbert Bokanowski, Pierre-Gilles Veber, Clément Duhour et Serge Veber, d'après la pièce de Maurice Hennequin et Pierre-Gilles Veber.

## Vive la sociale !

Lambert Wilson à Valérie Lemercier dans ***Palais royal !*** (2005).

Qu'est-ce que tu vas emmener des clodos à la piscine, maintenant ! Ça te suffit pas de soigner tes bègues, d'aller à la prison tous les samedis matin, de t'occuper des papiers de l'autre abruti, là ! De jamais fermer ta bagnole ! À partir de maintenant, il va falloir arrêter tes conneries Armelle ! Bonne, ça s'écrit pas avec un C.

## Célibataire *for ever...*

Alain Cohen à Yvan Attal dans ***Ils se marièrent et eurent beaucoup d'enfants*** (2004).

Tu vis avec tes histoires de princes et de princesses qu'on te raconte depuis que t'es tout petit. "Ils se marièrent et eurent beaucoup d'enfants", c'est des conneries tout ça, et tu le sais très bien. C'est quoi le truc ? Faire un enfant à une femme que j'aime ? Le fruit de l'amour, c'est ça ? Et le jour où je tombe amoureux d'une autre femme, qu'est-ce que je fais ? Je me bouffe les couilles ?

# Moi, raciste ?

Henri Guybet à Louis de Funès dans ***Les Aventures de Rabbi Jacob*** (1973).

— C'est pas à Monsieur que ça risquerait d'arriver.
— Quoi donc ?
— Que Mademoiselle épouse un noir.
— Qu'est-ce que ça veut dire ça ?
— Que Monsieur est peut-être un peu raciste…
— Raciste ? Moi, raciste ? Salomon… raciste ? Enfin Dieu merci, Antoinette épouse un Français bien blanc. Bien blanc. Il est même un peu pâlot !

Réalisé par Gérard Oury. Scénario, adaptation et dialogues de Danièle Thompson et Gérard Oury, avec la collaboration de Josy Eisenberg. 

# Le prix à payer !

Charlotte Gainsbourg à Alain Chabat dans ***Prête-moi ta main*** (2006).

*(Emma a accepté un contrat rémunéré pour faire croire à la famille de Luis qu'ils ont une liaison…)*

— J'en ai un peu marre là…
— Marre de quoi ?
— Marre de jouer la comédie, marre de jouer les salopes, ça me coûte…
— Et moi, vous savez combien ça me coûte ?
15 000 euros !

Réalisé par Éric Lartigau, scénario de Laurent Zetoun, Philippe Mechelen, Grégoire Vigneron, Laurent Tirard et Alain Chabat. 

## Les goûts et les couleurs...

Éva Darlan à Michel Blanc dans ***Je vous trouve très beau*** (2005).

— Est-ce que vous aimez la musique classique ?
— Obispo... Des trucs comme ça ?

# TTC ou HT ?

Thierry Lhermitte à Yvon Brexel dans ***Les Bronzés*** (1978).

— Au total ça fait combien ?
— 3 tonnes 827 quand même…
— Oh, putain. Je me suis niqué 3 827 kilos de gonzesses ! Je me dégoûte des fois. Et toi, t'en es à combien ?
— 125, moi.
— Ben mon vieux, faut t'y mettre.
— Oui mais attention, 125 en une seule fois !

Réalisé par Patrice Leconte. Écrit par l'équipe du Splendid et Patrice Leconte. 

# Le saut dans le vide

Mélanie Doutey à Jean-Paul Rouve dans ***Ce soir je dors chez toi*** (2007).

— Je négocie plus Alex. Je veux une réponse : on vit ensemble, oui ou non ?
(*Jean-Paul Rouve parlant au spectateur.*)
— Vous vous dîtes : "Pourquoi il hésite ? Il est con !". Non, mesdames, messieurs, je suis un expert. Je me suis plus fait larguer que le champion du monde de parachutisme !

Réalisé par Olivier Baroux, adaptation et dialogues de Michel Delgado et Jean-Paul Bathany, librement adapté des bandes dessinées de Dupuy et Berberian *Monsieur Jean*. 

## Trop bête pour toi

Wladimir Yordanoff à Judith Godrèche dans ***Tu vas rire, mais je te quitte*** (2005).

— Contrairement à ce que tu crois, le désir se nourrit d'affinités sensuelles… et intellectuelles.
— Je suis trop bête pour que tu me fasses l'amour, c'est ça !

Réalisé par Philippe Harel. Scénario et adaptation de Philippe Harel et Éric Assous, d'après l'ouvrage d'Isabelle Alexis. 

# Question de tendances...

Marianne Denicourt et José Garcia dans ***Quelqu'un de bien*** (2002).

*(Il tombe des cordes, Marie et Paul conversent autour du costume de Pierre...)*

— Pierre, rentre, ton costume va être foutu.
— Ben ça, c'est pas forcément une mauvaise nouvelle.
— Et pourquoi ?
— Il fait un peu plouc, non ?
— Il est pas habillé plouc, Pierre. Il est habillé tendance...
— Ouais... Tendance plouc !

Réalisé par Patrick Timsit, scénario de Jean-François Halin, Jean-Carol Larrive et Patrick Timsit. 

247

## Une prêtée pour une rendue…

Henri Vilbert dans ***Pot-Bouille*** (1957).

Vive les femmes, messieurs ! Vive celles des autres et les nôtres, ce sont d'ailleurs les mêmes… On ne peut leur reprocher leur inconstance, c'est parce qu'elles sont infidèles qu'elles deviennent nos maîtresses !

Réalisé par Julien Duvivier, scénario et adaptation de Léo Joannon et Julien Duvivier, d'après le roman d'Émile Zola. Dialogues d'Henri Jeanson. 

# Bientôt disponible sur *You Tube*...

Wladimir Yordanoff et Axelle Lafont dans ***3 zéros*** (2002).

*(Il découvre une vidéo de sa fille copulant dans un parking...)*

— Mais... c'est ma fille ! Qu'est-ce que c'est ?
— Une levrette, je crois.

Réalisé par Fabien Onteniente, scénario, adaptation et dialogues de Fabien Onteniente, Philippe Guillard et Emmanuel Booz. 

# Tromper son mari avec une femme, c'est vraiment tromper ?

Catherine Frot à Jacques François dans ***Eros therapie*** (2004).

*(Catherine doit avouer à son père la raison de son divorce avec François Berléand…)*

— Je suis lesbienne en fait.
— Qu'est-ce que c'est que ces sornettes ? Ça t'es venu quand ?
— Fallait pas me mettre à l'école chez les sœurs…

# Le gros lot !

Jean Gabin à Dany Carrel dans ***Le Pacha*** (1968).

— Quand il te rappelle, tu lui donnes rendez-vous où je te dirai et t'iras.
— Me faire buter…
— Non, lui proposer une affaire de deux milliards.
— Et vous croyez qu'il m'écoutera ?
— Oh ! tu sais quand on parle pognon, à partir d'un certain chiffre, tout le monde écoute !

## La vérité, un beau parti !

Marthe Villalonga dans ***Comme t'y es belle !*** (2006).

Feuj, beau gosse, pas marié, médecin. La vérité ? Tu devrais au moins aller lui demander l'heure.

Réalisé par Lisa Azuelos, scénario de Lisa Azuelos avec la collaboration de Michaël Lellouche et Hervé Mimran.

# Mission de confiance...

Gilbert Melki à José Garcia dans ***La Vérité si je mens ! 2*** (2001).

— Je te demande de t'occuper de mon amie et tu lui sautes dessus ?
— Moi ! Mais attends, mais ! Quand je suis entré, j'ai tout de suite vu que c'était une embrouille. D'ailleurs j'allais partir.
— En slip kangourou ? Serge tu m'as encore déçu.
— Attends, sur les yeux de tonton Maurice, j'aurais jamais fait une chose pareille, ça je peux te le jurer !
— Eh bien, t'aurais dû… parce qu'au prix qu'elle m'a coûté… deux fois, t'aurais pu la niquer !

Réalisé par Thomas Gilou, scénario de Michel Munz et Gérard Bitton. 

## Coupé mais… par Peter Jackson !

Kad Merad à Guillaume Canet dans ***Un Ticket pour l'espace*** (2006).

*(Kad est un comédien raté et vantard…)*

— *Le Seigneur des anneaux* ! Je faisais un marchand d'armes qui… euh… vendait des armes et… euh… Mais bon, le rôle a été coupé au montage, c'est dommage. C'était pas un tournage facile, hein, la Nouvelle-Zélande, tout ça…
— Et c'est joli comme pays, la Nouvelle-Zélande ?
— Oui, oui, c'est pas mal, oui. Ben, c'est nouveau quoi.
— Et l'Ancienne-Zélande, vous y avez été ?
— Ah ! non, ça, on n'a pas pu, on n'avait pas de bottes.

Réalisé par Éric Lartigau, Pierre-François Martin Laval et Fredéric Proust, scénario original et dialogues de Kad et Olivier et Julien Rappeneau. 

## Les rouages du métier !

Thierry Lhermitte à Philippe Noiret dans ***Les Ripoux*** (1984).

— Si je comprends bien, donc, on relâche un type parce qu'il nous donne un tuyau sur un autre type. Alors, grâce au tuyau, on va arrêter l'autre type, n'est-ce pas, qu'on va relâcher aussitôt parce qu'il va nous donner un autre tuyau sur un troisième type. Et puis *et cetera, et cetera*. Alors, peut-être, en fin de compte, on aura beaucoup de tuyaux, mais on aura jamais arrêté personne, hein… Je m'excuse.
— De toutes façons, les prisons sont bourrées !

## Libido débridée...

Patrick Timsit à Fanny Ardant dans ***Pédale douce*** (1996).

*(Au téléphone...)*

— T'es seule ?
— J'crois pas. Attends j'regarde. Où est ce qu'il est passé ? Alain ? Julien ? Comment il s'appelle déjà ? Minou ?
— J'espère qu'il sort pas de prison, celui-là, au moins ?
— Si tu crois qu'on a eu le temps de parler !

Réalisé par Gabriel Aghion, scénario de Gabriel Aghion, adaptation de Gabriel Aghion et Patrick Timsit, dialogues de Pierre Palmade. 

## Idée à... creuser !

José Garcia dans ***Les Morsures de l'aube*** (2001).

Tiens, regarde, là c'est les huitième de finale du championnat de Karaocul. Le PREMIER karaoké nu !

## Pas deux, un an seulement !

Marina Tomé dans ***Monique*** (2002).

*(Parlant des hommes en général…)*

De toutes façons, ils sont tous comme ça. Leur force, c'est qu'avec quelques boîtes de raviolis, ils peuvent tenir deux ans, sans eau, sans électricité, et sans chaussettes propres !

## Dansons joue contre joue…

Lino Ventura dans ***Les Lions sont lâchés*** (1961).

La danse, c'est du pelotage. Tout ce qu'on fait avec les pieds est parfaitement secondaire !

Réalisé par Henri Verneuil, scénario de France Roche et dialogues de Michel Audiard. 

## Retour gagnant

Diane Kruger à Philippe Lefebvre dans ***Mon Idole*** (2002).

— Tu devrais faire gaffe à ta place, c'est chaud pour ton cul.
— Ça va aller, je crois qu'il va passer plus de temps dans le tien qu'à apprendre son métier.
— T'es bien placé pour savoir que l'un n'empêche pas l'autre !

et Éric Naggar. © Les Productions du Trésor/M6 Films/Caneo Films/Pandrake Films/Nord-Ouest Production/Mars Films/Sparkling.

# Il me semble que la misère serait moins pénible au soleil…

Jean Gabin à Darry Cowl dans dans ***Archimède le clochard*** (1963).

— *Primo*, Monsieur, je ne couche jamais sous les ponts, quelle que soit la saison. *Secundo*, à partir de novembre, je ne connais que deux solutions convenables, la prison ou la Côte d'Azur !
— Tu y es déjà allé ?
— Oui Monsieur, mais je ne supporte pas la nourriture.
— C'est pas de la prison que je te parle, c'est de la Côte d'Azur.
— Moi aussi c'est de la Côte d'Azur, je ne supporte pas l'huile d'olive !

Réalisé par Gilles Grangier. Écrit par Albert Valentin, Gilles Grangier et Michel Audiard d'après une idée de Jean Gabin, dialogues de Michel Audiard. 

## Hostile à la bague au doigt

Didier Bezace à Vincent Elbaz dans ***Ma Vie en l'air*** (2005).

— Vous êtes un type bien, Monsieur Kerbec.
Si j'étais une femme, je vous épouserais.
— Trop tard ! Je me marie la semaine prochaine.
— Ah oui ? Contre qui ?

262

## Sept bouches à nourrir...

Victor Lanoux dans ***Nous irons tous au Paradis*** (1977).

J'ai trois mômes, elle en a quatre.
Elle et moi, c'est pas le bal des débutantes !

Réalisé par Yves Robert, scénario de Jean-Loup Dabadie et Yves Robert, dialogues de Jean-Loup Dabadie.

## Six mecs à poil dans son salon !

Carole Bouquet à Robert Dauney dans ***Travaux, on sait quand ça commence***... (2005).

*(Ne comprenant pas encore qu'elle parle d'ouvriers en bâtiment qui travaillent chez elle...)*

— J'ai six mecs en permanence dans mon salon !
— Ah bon ?
— Ils passent la plupart de leur temps à moitié nus. Imaginez qu'une demi-douzaine de filles viennent tous les matins chez vous, elles se déshabillent, elles cassent tout, et le soir, elles se rhabillent. C'est insupportable !
— Je pense que je m'y ferais...

Réalisé par Brigitte Roüan, scénario de Brigitte Roüan, Éric Besnard, Jean-François Goyet et Philippe Galand.

## Noiret en jachère !

Paul Le Person à Philippe Noiret dans ***Alexandre le bienheureux*** (1967).

— Ben, tu vas pas rester là !
— Si !
— Dans ton lit ?
— Oui !
— Ben, et le travail ?
— Je m'en fous !
— Et ta terre ?
— Elle fait comme moi, elle se repose !

## Un homme de principe

Vincent Elbaz dans ***Ni pour ni contre (bien au contraire)*** (2002).

Moi ? Je suis marié et je suis fidèle… Mais, bon, quand je baise ailleurs, je préfère payer, je trouve ça plus correct.

Réalisé par Cédric Klapisch, scénario et dialogues de Santiago Amigorena, Cédric Klapisch et Alexis Galmot.

## *Ricchi e poveri*

Aldo Maccione à Pierre Richard dans ***Je suis timide mais je me soigne*** (1978).

(*Parlant de la belle Mimi Coutelier…*)

— Elle aime que les pauvres, je te dis !
— Les pauvres ? Oh là, là ! Mais qu'est-ce qu'on va faire ?
— Montre-lui ta carte de Sécurité sociale…
— Je l'ai pas dans mon smoking !

Réalisé par Pierre Richard, scénario de Pierre Richard, Jean-Jacques Annaud et Alain Godard. 

## *Oh Katryna bella !*

Gérard Lanvin à Michel Blanc dans ***Marche à l'ombre*** (1984).

*(Gérard Lanvin questionne Michel Blanc après avoir « interrompu » ce dernier en galante compagnie…)*

— À part le fait qu'elle est coiffée comme un dessous de bras, est-ce qu'elle est bonne sous l'homme Katryna ?
— C'est d'un goût… J'ai pas eu le temps de me rendre compte figure-toi ! Tu fais chier, pour une fois que j'ai pas été obligé d'employer la menace !

Réalisé par Michel Blanc, scénario de Michel Blanc et Patrick Dewolf, dialogues de Michel Blanc. 

## Désolé, c'est signé Dupontel !

Albert Dupontel à Roland Blanche dans ***Bernie*** (1996).

— Dis papa, comment ça se passe avec le sexe des filles ?
— J'sais pas. J'fais qu'les enculer !

Réalisé par Albert Dupontel, scénario de Albert Dupontel et Gilles Laurent, dialogues de Albert Dupontel.

## Rhésus exceptionnel !

Dominique Michel à Daniel Brière dans ***Le Déclin de l'empire américain*** (1986).

— Faut dire que Rémy est spécial. Il a baisé la ville de Montréal.
— Il dit qu'il est comme la Croix-Rouge, c'est un donneur universel !

Écrit et réalisé par Denys Arcand.© Cineplex Odeon Films/Corporation Image M&M/Malofilm/NFB/Société Radio Cinéma/SGCQ/Téléfilm Canada.

## L'horreur totale !

Stéphane Freiss à Kad Merad dans ***Bienvenue chez les ch'tis*** (2008).

— Bon, j'ai une bonne et une mauvaise nouvelle.
— Je suis suspendu, c'est ça ?
— Pire.
— Viré !
— Pire encore…
— Pire que viré, c'est quoi ?
— T'es muté dans le Nord !

# Dominatrice

Charlotte Gainsbourg à un dragueur dans ***Ils se marièrent et eurent beaucoup d'enfants*** (2004).

— Vous les mecs vous me faites marrer. Franchement, tu crois quoi ? Qu'il suffit de me demander mon numéro, hein ? Okay, 06 12 23 23 41. Tu vas m'appeler ? Et puis ? Tu vas me dire que t'aimerais bien qu'on se voie… Qu'on dîne. Qu'on déjeune si t'as un peu peur de m'effrayer. Et puis quoi ? Faudra bien que tu te jettes à l'eau. Alors, okay, on est là maintenant, va-y, sois plus convaincant. Ben alors ? Tu veux me baiser…Tu veux me baiser c'est ça ?
— Non.
— Ah bon ?
— … Si !

## Mûre pour un casting...

Henri Vidal à une jolie jeune fille dans ***Série noire*** (1955).

— C'est à vous tout ça ? Un jour vous ferez du cinéma, mon petit...
— Ça m'étonnerait, je ne suis pas comédienne.
— Raison de plus !

Réalisé par Pierre Foucaud, scénario de Pierre Gaspard-Huit, dialogues de Michel Audiard. 

273

## Solution alternative et... sans douleur !

Alain Chabat, Véronique Barrault et Charlotte Gainsbourg (Emma) dans ***Prête-moi ta main*** (2006).

— Emma a quelque chose à vous annoncer…
— T'es enceinte !
— Ah non… Non, avoir un *alien* dans le ventre, les seins qui pètent, la gerbe, tout ça, non. On adopte !

Réalisé par Éric Lartigau, scénario de Laurent Zetoun, Philippe Mechelen, Grégoire Vigneron, Laurent Tirard et Alain Chabat. 

# Les deux écoles

José Garcia à Patrick Timsit dans ***Quelqu'un de bien*** (2002).

Ta gueule, c'est moi le stratège ! Toi, tu lui parles de ton foie, tu lui fais le coup de la greffe, t'embrayes sur ton argumentaire commercial, ça c'est pas moi qui vais te l'apprendre et moi j'arrive derrière et... je la "nique". Parce que t'as peut-être fait une école de commerce mais là, c'est l'école de la bite !

Réalisé par Patrick Timsit, scénario de Jean-François Halin, Jean-Carol Larrive et Patrick Timsit. 

# Le choix de Madame Gauthier...

Martine Fontaine à Richard Berry dans ***J'veux pas que tu t'en ailles*** (2007).

*(À son psychanalyste...)*

— Oh excusez-moi, j'ai vraiment été stupide de penser que je pouvais vous plaire.
— C'est pas la question Madame Gauthier, je ne peux pas être votre thérapeute et votre amant, vous comprenez...
— Je peux choisir ?

# Avant, pendant, après

Françoise Rosay à Dominique Davray dans ***Les Yeux de l'amour*** (1959).

— C'est pas les propositions qui me manquent. L'autre fois encore, Lucien m'a demandée en mariage. Et c'était sérieux…
— Ah oui ? Qu'est-ce qui te fait dire ça ?
— Parce qu'il ne me l'a pas dit avant, il me l'a dit après.
— Il y a décidément chez les lève-la-cuisse, une forme d'intelligence qui me confondra toujours !

Réalisé par Denys de La Patellière. Écrit par Roland Laudenbach et Denys de La Patellière, d'après le roman *Une histoire vraie* de Jacques Antoine, dialogues de Michel Audiard. 

## Résultat : 0 % !

Jacques Gamblin à Patrick Timsit dans ***Pédale douce*** (1996).

— Mais attends, je voulais me faire son mec…
— Et tu l'as eu ?
— Rien. Que sa femme, peine perdue. Il était hétéro à 150 %.
— 150 % ? Ben, t'avais qu'à le baiser à 50 %, et il restait hétéro à 100 % !

Réalisé par Gabriel Aghion, scénario de Gabriel Aghion, adaptation de Gabriel Aghion et Patrick Timsit, dialogues de Pierre Palmade. 

# La première fois

Sophie Daumier à Jean-Claude Brialy dans ***Carambolage*** (1963).

— Et puis mon cœur qui ne bat que pour toi. Et puis tu m'as dit que tu étais las des poupées sans cervelle et que ce que tu aimais en moi, c'était mon intelligence et puis tu m'as emmenée à l'hôtel. C'était la première fois…
— Hein ?
— La première fois qu'on m'aimait pour mon intelligence.

# Bingo ! Bongo !

Patrick Timsit à Mamadou Dioumé dans ***Le Cousin*** (1997).

*(PatrickTimsit présentant Alain Chabat à un fournisseur de drogue africain…)*

— Jean-Pierre… Monsieur… N'Bingo !
— Bongo ! Pas Bingo !
— Pardon, Bongo ! Et… Euh… Et ses amis !

Réalisé par Alain Corneau, scénario et dialogues de Alain Corneau et Michel Alexandre. 

# À peine exagéré, non ?

Sarah Stern à Jean-Paul Rouve dans ***Ce soir je dors chez toi*** (2007).

— Mais t'as peur de quoi exactement ?
— L'usure du couple au quotidien.
— Oh ! Mais attends, mais c'est des clichés !
— Quoi des clichés, c'est connu. Le sexe au bout de trois ans, c'est la Corée du Nord !

Réalisé par Olivier Baroux, adaptation et dialogues de Michel Delgado et Jean-Paul Bathany, librement adapté des bandes dessinées de Dupuy et Berberian *Monsieur Jean*. 

281

## La guigne, la déveine, la scoumoune...

Valérie Bruni Tedeschi à Noémie Lvovsky dans ***Ah ! Si j'étais riche*** (2002).

Non mais tu te rends compte, je vis sept ans avec un mec, on a toutes les emmerdes de la terre. Je le quitte, il gagne au loto ! Je dois porter la poisse…

Écrit et réalisé par Michel Munz et Gérard Bitton. 

282

## Auprès de mon arbre...

Michèle Mercier dans ***Une Veuve en or*** (1969).

C'est sous un eucalyptus qu'Antoine m'a sautée la première fois. La deuxième fois, c'était sous un pommier au Touquet. Après, c'était un peu partout... J'connais tous les arbres de la forêt de Fontainebleau !

Écrit et réalisé par Michel Audiard, adaptation de Jean-Marie Poiré d'après une idée d'Odette Joyeux. 

## Délire hallucinatoire…

Jean Yanne dans ***Le Hussard sur le toit*** (1995).

(*La France est victime d'une épidémie de choléra.*)

À Marseille, il y a des morts, plus haut que les boutiques. Les gens sont devenus fous, ils poussent des cris, ils se courent après… Et on m'explique que c'est les mouches. Ils me font rigoler avec leurs mouches ! Si c'était que ça ! À Saint-Cypris, il est tombé une averse de crapauds et à La Motte, un chien s'est mis à réciter le catéchisme !

Réalisé par Jean-Paul Rappeneau, scénario, adaptation et dialogues de Jean-Paul Rappeneau, Nina Companéez et Jean-Claude Carrière. 

## Vocabulaire châtié...

Simon Abkarian à Mickaël Tissier dans ***Ni pour ni contre (bien au contraire)*** (2002).

— Bon, tu vas écouter qu'est ce que ton père il va t'dire. D'abord, il faut que t'apprennes d'autres mots que "enculé" Hein ? Et puis... ce qu'il faut que tu fasses, ben... Tu reprends tes cahiers et tu retournes à l'école.
— Mais quelle école ? Je me suis fait virer !
— Ah ! les enculés !

Réalisé par Cédric Klapisch, scénario et dialogues de Santiago Amigorena, Cédric Klapisch et Alexis Galmot.

# Je vais bien, tout va bien...

Pierre Richard à Anny Duperey dans ***Les Compères*** (1983).

— Mais bien sûr que je vais t'aider à retrouver notre fils !
— Mais t'es sûr que t'es en état de…
— Mais oui, ça va bien je te dis ! Ça va formidablement bien !
— Il faudra partir pour Nice, ça te posera peut-être des problèmes ?
— Mais pas du tout ! J'ai une chance inouïe, écoute : j'ai plus de boulot, ma femme m'a quitté, j'habite avec ma mère qui me fait une vie impossible, j'ai pas de projets, pas d'avenir, rien ! Tout est bouché, foutu… C'est formidable, non ?

## Bas, dentelles, jarretelles…

Christel Willemez à Albert Dupontel dans ***Monique*** (2002).

*(Retournant dans une boutique de lingerie.)*

— Cher Monsieur. J'ai reçu quelques modèles qui devraient vous intéresser, du premier choix dans ce qui se fait de plus…
— Non, justement… je voudrais quelque chose de plus…
— Lascif ? Luxurieux ? Licencieux ? Pornographique ?
— Plus décent ! Quelque chose de plus décent !

Écrit et réalisé par Valérie Guignabodet. © Pan-Européenne Production/M6 Films/PGP productions.

## Célibataire qui entend le rester...

Alain Cohen à Jérôme Bertin dans ***Ils se marièrent et eurent beaucoup d'enfants*** (2004).

— Achetez-moi une berline. Regardez y en a plein. Qu'est-ce que vous allez faire avec un *roadster*, y'a que deux places. Où est-ce que vous allez mettre votre femme et vos enfants ?
— Une femme et des enfants ? Parlez pas de malheur !

# Les grands moyens

Asia Argento à Guillaume Canet dans ***Les Morsures de l'aube*** (2001).

— Ça je dois dire… chapeau ! Je veux dire, dans ma vie, ça m'est déjà arrivé de me faire draguer en boîte. Mais là, franchement, c'est la première fois.
— La première fois que quoi ?
— Qu'un type provoque une descente de police, juste pour pouvoir me dire… il y a trop de monde ici, si on allait dans un endroit un peu tranquille ?
— On les paye avec nos impôts, ils peuvent bien nous rendre service de temps en temps, non ?

Réalisé par Antoine de Caunes, scénario, adaptation et dialogues de Laurent Chalumeau, librement adapté du roman de Tonino Benacquista. 

## Les boulets de l'enfance.

Vincent Elbaz à propos de Gilles Lellouche dans ***Ma Vie en l'air*** (2005).

Les amis d'enfance ! Si vous ne vous en débarrassez pas à l'adolescence, c'est un truc que vous traînez toute votre vie !

## Un tien vaut mieux que...

Charpin à Orane Demazis dans ***Fanny*** (1932).

*(Fanny venant d'avouer à Panisse qu'elle est enceinte de Marius...)*

Ses enfants, bien entendu, il vaut mieux se les faire soi-même, mais quand on attrape la cinquantaine et qu'on est pas bien sûr de réussir et qu'on en trouve un tout fait... On se le prend sans avertir les populations !

## Si vous n'aimez pas ça...

Jean-Pierre Marielle à Jean Rochefort dans ***Calmos*** (1976).

*(Jean-Pierre Marielle imaginant sa femme signalant le motif de sa disparition à la police…)*

Gy-né-co-logue ! Ça vous dit quelque chose ? Des culs Monsieur le commissaire. Toute la journée, des culs ! Toujours des culs. Trente à quarante touchers par jour, c'est sa moyenne. Et elles aiment ça les garces, y'en a qui reviennent tous les jours, tellement elles sont folles de son médius !

Réalisé par Bertrand Blier, scénario et dialogues de Philippe Dumarçay et Bertrand Blier. 

## Trop chaud, le soleil !

Marina Foïs à Olivier Baroux dans ***Un Ticket pour l'espace*** (2006).

— Et vous, votre colloque à la NASA, ça s'est bien passé ?
— Oui, bien, très bien. Nous sommes tombés d'accord avec les Russes, les Américains et les Chinois. C'est désormais certain, il est impossible de marcher sur le soleil.
— Pfff ! Tout cet argent dépensé ! Tous ces hommes, ces femmes, ces… ces animaux morts pour rien !

Réalisé par Éric Lartigau, Pierre-François Martin Laval et Fredéric Proust, scénario original et dialogues de Kad et Olivier, et Julien Rappeneau. 

# Totale confidentialité !

Gad Elmaleh dans ***La Vérité si je mens ! 2*** (2001)

Allô ? Comment ça va ma chérie ? Bien ? T'es où là ? Non ? C'est tout ce que tu portes ? Mais attends, t'es une vraie salope toi, hein ? C'est pour ça que je t'adore. Non pas tout de suite, ma chérie, je suis en réunion, là. Hein ? Tu verrais mes potes, ils sont comme des oufs, là. Ouais. Bien sûr qu'ils ont tout entendu ! Mais non, je leur dit pas qui t'es ! Attends, ça va pas ou quoi, je suis pas comme ça, moi, tu me connais. Hein ? Okay, ma chérie. Bon, allez, je t'embrasse, je te laisse, je dois te laisser. J't'embrasse ma chérie. Bye. Je te le jure, je leur dis pas, c'est bon ! Allez, je t'embrasse, bye chérie. (*Il raccroche*) C'était Martine.

Réalisé par Thomas Gilou, scénario de Michel Munz et Gérard Bitton. 

# La Totale !

Fanny Ardant dans ***Pédale douce*** (1996).

(*Avec délectation*)

Giflée… Violée… Quelle soirée !

Réalisé par Gabriel Aghion, scénario de Gabriel Aghion, adaptation de Gabriel Aghion et Patrick Timsit, dialogues de Pierre Palmade. 

## Le repos du guerrier

Christophe Lambert à Catherine Deneuve dans ***Paroles et musique*** (1984).

— Bonne nuit, Margaux.
— Quoi ? Ah non ! Ah non, Jérémy. Moi, j'ai tenu toute la journée en me disant ce soir, je vais avoir des relations coupables avec Jérémy Kreuvel !
— Moi, j'ai tenu toute la journée en me disant ce soir je vais enfin pouvoir dormir !

## *Very british…*

Isabelle Ferron à Didier Bourdon dans ***Le Pari*** (1997).

— T'aurais pu mettre une cravate, ta belle à rayure…
— Oh, non, avec ton kilt, ça suffit, crois-moi !

Écrit et réalisé par Didier Bourdon et Bernard Campan. © Katharina/Renn Productions/TF1 Films Production/DB Production/ABS SARL.

## Pas si insensible que ça...

Diane Kruger et François Berléand dans ***Mon Idole*** (2002).

— Jean-Louis et moi, on part au moins une fois par mois au soleil. C'est très important pour les nerfs. Enfin, surtout pour les miens. Jean-Louis ne ressent plus rien, c'est un légume. Hein, mon bébé ?
— Ton bébé, il sent quand même une petite chaleur qui lui caresse les burnes, c'est bien agréable !

**298**

## Le Saint-Émilion, ça mousse pas !

Jean-Pierre Daroussin à Gérard Lanvin dans ***Mes Meilleurs Copains*** (1989).

— Faut dire qu'il est bon, ce rouge, il se boit comme de la p'tite bière.
— C'est gentil pour la p'tite bière, Saint-Émilion 1971 ! Si tu préfères la bière, il y en a plein le frigo, hein !

# Avertissement !

Étienne Chicot à Titoff dans ***Gomes et Tavarez*** (2003).

— Je vais vous dire un truc sur cette petite. Elle a les yeux aussi profonds que le désespoir et l'âme aussi claire qu'une nuit de pleine lune.
— C'est-à-dire ?
— C'est-à-dire que si vous faites pas gaffe, elle va bien vous niquer !

Réalisé par Gilles Paquet-Brenner, scénario et dialogues de Renaud Bendavid et Gilles Paquet-Brenner.

# La Drague

Frédéric Botton à Valérie Lemercier dans ***Le Derrière*** (1999).

*(Frédéric Botton, homosexuel âgé, à Valérie Lemercier, travestie en jeune garçon.)*

— Et comment s'appelle ce joli garçon si drôle ?
— Frédéric.
— Ah ! Frédéric ! Frédéric II de Prusse, Frédéric Chopin, Frédéric François… Des hommes qui me touchent beaucoup. Eh bien, moi, voyez-vous, j'ai toujours avec moi mes petites cartes de visite toutes bêtes que l'on peut retrouver un soir de grande solitude dans la poche de son petit blouson de skaï…

Réalisé par Valérie Lemercier, scénario et dialogues de Aude et Valérie Lemercier. 

## Trois pour le prix d'un !

Amélie Pick à Marie fugain dans ***L'Homme idéal*** (1997).

*(Marie a trois amants et se confie à sa meilleure copine…)*

— Je les aime bien tu sais. Ils sont tellement différents. Chacun a son truc bien à lui que l'autre n'a pas. L'homme idéal en trois pièces !
— C'est d'un pratique. C'est comme si t'avais la cuisine à Clamart, le salon à Neuilly et la chambre à Barbès !

Réalisé par Xavier Gélin, scénario de Dominique Chaussois, Gilles Niego et Xavier Gélin, adaptation et dialogues de Dominique Chaussois, Xavier Gélin et Pascal Legitimus. 

## Mes meilleurs amis

Jean-Paul Rouve à Gérard Depardieu dans ***Je préfère qu'on reste amis***... (2005).

— Je vais faire un rami chez des amis.
— Quel programme, dis donc ! Et comment ils s'appellent, tes potes ?
— Totophe et Jean-Mi.
— Oh ! ben j'en étais sûr !
— De quoi ?
— Les potes de rami ont toujours des surnoms idiots ! Et en plus, à 80 %, ce sont des collègues de bureau...
— Alors là, pas du tout ! Pas du tout ! (*Gêné*...) Ce sont des amis... d'amis... du bureau.

## Génération Disney !

Gérard Darmon à Chantal Lauby dans ***La Cité de la peur*** (1994).

— Mais oublions le film pour ce soir. Parlez-moi de vous, plutôt.

— Odile ! Moi, c'est Odile. Pluto, c'est l'ami de Mickey !

Réalisé par Alain Berberian, scénario de Chantal Lauby, Alain Chabat et Dominique Faruggia. 

# Fin psychologue et... observateur

Fabrice Luchini à une jolie secrétaire dans ***Zig Zag Story*** (1983).

— Je fais une enquête pour savoir à quoi pensent les femmes quand elles se caressent.
— Laissez-moi tranquille s'il vous plaît.
— Ah ! Rejet total, esquive, plaisir mal vécu !
— Vous perdez votre temps et vous me faites perdre le mien.
— On dit ça et on est gauchère avec un ongle sur la main gauche bien plus court que les autres…
— Ça, c'est un tic, je me le ronge tout le temps.
— Prémédite constamment la masturbation, donc plaisir fréquent !

Écrit et réalisé par Patrick Schulmann. © Chloé Production/Parano Films/Sphinx Films.

# Première approche à l'ancienne...

Jean Gabin à Michèle Morgan dans ***Le Quai des brumes*** (1938).

— Tiens, t'es belle et tu me plais ! T'es pas épaisse mais tu me plais. Comme au cinéma, j'te vois et tu me plais. Le coup de foudre, l'amour, quoi. Tu sais le petit mec avec ses ailes dans le dos puis les flèches. Les cœurs sur les arbres, la romance puis les larmes. Ah ! là, là ! Tout ça c'est toujours pareil, vacheries et compagnie…
— Vous le pensez vraiment ?
— Quoi ?
— Ce que vous dîtes. L'amour…
— Ah ! là, là. Les gonzesses c'est toujours pareil, ça fait le turf et c'est sentimental comme une colombe de carte postale !

Réalisé par Marcel Carné, scénario et dialogues de Jacques Prévert, d'après le roman de Pierre Mac Orlan.

# Les papis toujours verts !

Claude Brasseur à Claude Berri dans ***La Débandade*** (2000).

*(Regardant avec insistance la jeune et jolie Brigitte Bémol qui marche devant eux…)*

— Elle a un beau petit cul, hein ?
— Elle est bandante…
— J'attends le viagra avec… impuissance !

Écrit et réalisé par Claude Berri. Adaptation de Arlette Langmann et Claude Berri. 

## L'ordinateur au service de l'homme !

Jean-Claude Brialy à Charles Denner dans ***Robert et Robert*** (1978).

*(Dans une agence matrimoniale…)*

— Moi, la femme de ma vie, c'est pas mon double. Je m'excuse…
— Monsieur Goldman, l'ordinateur a sorti cinq fois de suite les mêmes dames.
— Mais il peut se tromper. S'il pouvait m'en sortir une belle au moins une fois !

## Et si Marcel Dassault avait le mal de l'air…

Michel Vuillermoz à Isabelle Carré dans ***Quatre Étoiles*** (2006).

Tu savais toi qu'Onassis avait le mal de mer ? Pour quelqu'un qui a accumulé des milliards en construisant des bateaux, ça la fout mal… C'est comme si Parmentier avait été allergique à la pomme de terre !

Réalisé par Christian Vincent, scénario et dialogues de Olivier Dazat et Christian Vincent. 

# Total self-control !

Pierre Richard à un type qui l'a traité d'abruti dans ***La Chèvre*** (1981).

— Vous m'avez traité d'abruti ?
— Oui.
— Je pratique les arts martiaux. Judo, aïkido, karaté ! La première chose qu'on nous apprend, c'est le contrôle. Un type me traite d'abruti, je ne cogne pas. Je le regarde et je m'en vais.
— Eh ben, tire-toi alors !
— Vous avez de la chance. Allez, prenez le chariot et filez. Vous avez de la chance.
— Gros connard !
— Vous avez de la chance.
— Pédé !
— *(Il inspire profondément.)* Je suis arrivé à un contrôle total !

Écrit et réalisé par Francis Veber. 

## Un tableau de maître !

Clémence Poésy à Lorant Deutsch dans ***Bienvenue chez les Rozes*** (2003).

Tu peux regarder, ça me gêne pas. Au contraire, se montrer à poil devant un mac, c'est un peu comme montrer un tableau à un expert…

Réalisé par Francis Palluau. 

## Voleur et usurpateur d'identité !

Benoît Poelvoorde à Rémy Belvaux dans ***C'est arrivé près de chez vous*** (1992).

— J'ai perdu quelque chose, ma gourmette.
— Ta quoi ?
— J'ai perdu ma gourmette, un bracelet, quoi !
— Sentimental ?
— Communion !
— Ça te fait du mal ?
— J'ai surtout eu du mal à la voler, hein. Un gosse qu'aura le même prénom que moi, j'trouverai pas ça deux fois !

Réalisé par Rémy Belvaux, André Bonzel, Benoît Poelvoorde, scénario et dialogues Rémy Belvaux, André Bonzel, Benoît Poelvoorde et Vincent Tavier. 

## De quoi s'y perdre...

Gad Elmaleh à Anne Marivin dans ***Chouchou*** (2003).

— Mademoiselle, s'il vous plaît ?
— Oui ?
— Je cherche la crème pour le démaquillage de la nuit.
— Tout est là, Monsieur.
— Et ça ?
— Ça, oui, ça c'est pas mal, c'est une bonne crème de jour.
— Ah ! C'est une crème de jour ? Ça veut dire si
je la mets la nuit, je fais nuit blanche, quoi, je dors pas.

Réalisé par Merzak Allouache, scénario et dialogues de Gad Elmaleh et Merzak Allouache. © Films Christian Fechner/France 2 Cinéma/Fechner Production/KS2 productions.

## Instit' en zone sensible...

Pierre Richard à Gérard Depardieu dans ***Les Compères*** (1983).

— Avant ma dépression j'étais instituteur. C'est à cause des enfants que j'ai fait une dépression.
— J'vois pas le rapport.
— C'étaient des enfants de la banlieue, un peu vivants, un peu turbulents. Ils m'appelaient p'tite crotte !

## Le monde à l'envers !

Renato Salvatori à Jean-Claude Brialy dans ***Le Glaive et la Balance*** (1963).

— Qu'est-ce que tu dis ? Répète un peu pour voir. Non mais répète !
— Hé là ! Hé là ! Et tu es lâche en plus. Mes compliments…
— Lâche, moi ? Lâche ?
— Oui, quand on abuse de sa force, on est un lâche !

Réalisé par André Cayatte. Écrit par Charles Spaak, Henri Jeanson, André Cayatte et dialogues de Henri Jeanson.

## Questions pour des champions !

Louis de Funès à Claude Giraud dans ***Les Aventures de Rabbi Jacob*** (1973).

— Qu'est-ce que je vais leur dire à tous ces gens-là, ils vont me poser des questions.
— Faites comme eux. Quand on pose une question à un juif, il répond toujours par une autre question ! Ça lui laisse le temps de réfléchir à la question…

Réalisé par Gérard Oury, scénario, adaptation et dialogues de Danièle Thompson et Gérard Oury, avec la collaboration de Josy Eisenberg. 

## Bienvenue chez les ch'tis !

Philippe Magnan à Jean-Pierre Marielle dans ***Les Acteurs*** (1999).

— Je voudrais aller au cinéma.
— Voir quoi ?
— Il y a des trucs chouettes en ce moment ?
— Il y a un film bouleversant qui s'appelle *Morne Plaine*. C'est une histoire qui se passe dans le Nord, sur l'angoisse du chômeur qui regarde son terril, c'est en noir et blanc, caméra à la main, joué par des amateurs…
— … Allez-y butez-moi !

Écrit et réalisé par Bertrand Blier. © Les films Alain Sarde/Plateau « A »/TF1 Productions/Les Studio Canal +.

## Un autre monde…

Un flic à un autre flic dans ***Association de malfaiteurs*** (1987).

*(Deux flics en « planque » discutent…)*

— On planque sur une gonzesse parce que son mec a tiré 400 briques et elle bouffe avec le type à qui son mec a tiré 400 briques. Je ne comprends pas…
— On peut pas comprendre, ce sont des histoires de riches !

Réalisé par Claude Zidi, scénario et adaptation de Michel Fabre, Simon Michael et Claude Zidi d'après une idée originale de Claude Zidi, dialogues de Didier Kaminka. 

# À l'ordre de... ?

Christian Clavier dans ***Le Prix à payer*** (2007).

Ma femme aussi a un don pour l'écriture… elle remplit très bien les chèques !

Écrit et réalisé par Alexandra Leclère. 

## Les nouveaux Don Juan

Jean-Luc Bideau à Roland Giraud dans ***Et la tendresse bordel !*** (1979).

— Dis-donc, c'est toi qui a engagé la nouvelle hôtesse ?
— Oui, j'ai viré l'autre, c'était vraiment pas une affaire au plumard.
— Et celle-là, tu l'as essayée ?
— Pas encore, je la laisse arriver.

## Citadelle prenable ?

Jean Dujardin dans ***Mariages*** (2004).

Le mariage est comme une ville assiégée, ceux qui sont dehors veulent y rentrer, ceux qui sont dedans veulent en sortir !

## Cœur trop sensible…

Annie Girardot à Charles Southwood dans ***Elle cause plus… elle flingue*** (1972).

Je le disais souvent à Max. Il faut tuer les gens avant de les connaître. Après on s'attache…

Réalisé par Michel Audiard, écrit par Michel Audiard et Jean-Marie Poiré, dialogues de Michel Audiard.

## Guitry 2000 !

Une amie à Fanny Ardant dans ***Le Libertin*** (2000).

— Et ce jeune homme, est-t-il aussi indifférent aux femmes ?
— Non, malheureusement pour moi. Monsieur a le gland large d'esprit !

Écrit et réalisé par Gabriel Aghion et coécrit par Éric-Emmanuel Schmitt d'après sa pièce. © Gaspard de Chavagnac/ Pascal Houzelot.

## Courage fuyons !

François Périer dans ***Elle et moi*** (1952).

La seule idée du mariage me donnait la chair de poule. Heureusement, le célibataire a sur l'homme marié cet avantage qu'il peut fuir !

Réalisé par Guy Lefranc, scénario et dialogues de Michel Audiard et Jean Duché d'après son roman. 

## Monsieur ou Mademoiselle ?

Wladimir Yordanoff à Julien Cafaro dans ***Je vous trouve très beau*** (2005).

— Tu sais, à ce qui paraît, eh ben les huîtres, c'est hermaphrodite.
— Aphrodisiaque, je savais, mais pas hermaphrodite.
— Ben si ! Elles peuvent changer de sexe dans ton assiette !
— Dans mon assiette ? C'est dégueulasse !

Écrit et réalisé par Isabelle Mergault. © Gaumont/Film par Film/France 2 Cinéma.

## Orange contre SFR

Pasacal Légitimus à Christophe Malavoy dans ***L'Homme idéal*** (1997).

*(Des rivaux amoureux ont malencontreusement échangé leurs portables…)*

Si c'est le grassouillet qui a mon portable, vous lui dites gentiment d'arrêter de traiter de connard tous les gens qui m'appellent. Parce que j'ai un banquier qui a le sens des affaires mais pas le sens de l'humour !

Réalisé par Xavier Gélin, scénario de Dominique Chaussois, Gilles Niego et Xavier Gélin, adaptation et dialogues de Dominique Chaussois, Xavier Gélin et Pascal Légitimus. 

## Petit proverbe ch'ti...

Kad Merad à Dany Boon dans ***Bienvenue chez les ch'tis*** (2008).

— Oh, j'ai mal au cœur, moi !
— Ah ! ben, tant que t'as pas mal au cul, tu peux toujours t'asseoir e'd'sus !

de Dany Boon. © Hirsch/Pathé Renn Productions/TF1 Films Production/Les Productions du Chicon.

## Jouer encore à ça, à ton âge !

Dominique Besnehard dans ***Pédale douce*** (1996).

Alors, pour celui qui me trouve… ben, je lui fais une petite gâterie. Et puis, pour celui qui me trouve pas, ben… je suis caché derrière la porte !

Réalisé par Gabriel Aghion, scénario de Gabriel Aghion, adaptation de Gabriel Aghion et Patrick Timsit, dialogues de Pierre Palmade. 

# Clown cherche nez !

Jacques Villeret à Isabelle Candelier dans ***Effroyables jardins*** (2003).

*(Jacques Villeret prépare ses accessoires pour son numéro de clown.)*

— Il me manque un nez ! J'ai le nez rouge, le nez qui fait pouêt-pouêt, le nez qui s'allume…
— Celui qui a un jet. C'est pas celui-là qui te manque ?
— Exact ! Il me manque mon nez à giclette. Ça fait un moment qu'il a disparu, d'ailleurs.
— C'est de ma faute. Je m'en sers pour vaporiser mes plantes, c'est pratique.

Réalisé par Jean Becker, scénario et dialogues de Jean Becker, Jean Cosmos et Guillaume Laurant, d'après le roman de Michel Quint. 

## Pas la moindre reconnaissance !

Thierry Lhermitte dans ***Un Indien dans la ville*** (1994).

Je me tape sept milles bornes en avion et trois heures de pirogue, je la retrouve dans ce gourbi, ça fait treize ans qu'elle m'a pas vu… Et elle me fait attendre comme à la Sécu !

Réalisé par Hervé Palud, scénario de Hervé Palud et Igor Aptekman, adaptation et dialogues de Hervé Palud, Thierry Lhermitte et Philippe Bruneau. 

## La crise pétrolière !

El Kebir à Bernard Menez dans ***Pas de problème*** (1975).

*(Le voisin arabe du dessus vient s'expliquer avec Bernard Menez…)*

— Tu es malpoli, dis. Je vais écrire au syndic, prévenir la police.
— Vous croyez pas que vous nous faites déjà assez chier avec votre pétrole, non ?
— Petit voyou ! Raciste ! Va donc faire pipi dans ton réservoir pour voir si ça roule !

Réalisé par Georges Lautner, scénario et dialogues de Jean-Marie Poiré. 

## Célibataire *or not* célibataire…

Gérard Darmon à Jean-Pierre Daroussin dans ***Le Cœur des hommes*** (2003).

— Je vis seul depuis dix ans, ça me va. Je suis pas sûr d'avoir envie de changer et encore moins d'en être capable. Et toi, t'apprécie pas d'être pénard ?
— C'est pas mon but dans la vie d'être pénard, c'est peut-être une question d'habitude mais j'aime pas quand je rentre chez moi qu'il y ait personne.
— Paie-toi un chat. Ça le fait, je te jure.
— Je préfèrerais une chatte…

# À chacun son métier !

Didier Pain dans ***Mes Meilleurs Copains*** (1989).

Faut jamais faire un métier dans lequel on n'assure pas. Pour le chanteur, je change pas d'avis, faut qu'il fasse autre chose. Et pour les autres, malgré leur enthousiasme, c'est guère mieux. Par exemple, flûte électrique, là, lui aussi, c'est un sommet ! Faut qu'il arrête d'en jouer ou bien qu'il l'avale !

Réalisé par Jean-Marie Poiré, scénario, dialogues et adaptation de Jean-Marie Poiré et Christian Clavier. 

## ***Fast and Furious !***

James Arch et un malabar à Guillaume Canet dans ***Les Morsures de l'aube*** (2001).

— Tu vois ici, normalement, on personnalise des voitures de série. Du *tunning*, comme on dit. Toi, c'est la gueule qu'on va te customiser. Quand on aura fini, tu seras plus carrossé pareil.
— T'auras du mal à passer le contrôle technique !

Réalisé par Antoine de Caunes, scénario, adaptation et dialogues de Laurent Chalumeau, librement adapté du roman de Tonino Benacquista. 

## Douillette ?

Gérard Depardieu à Miou-Miou dans ***Les Valseuses*** (1973).

*(Depardieu fait l'amour à Miou-Miou très maladroitement…)*

— Je te fais pas mal ?
— Non, non…
— T'es sûre ?
— Oui, oui…
— Je te demande ça parce que d'habitude, y'en a qui suffoquent.

Réalisé par Bertrand Blier, scénario, adaptation et dialogues de Philippe Dumarçay et Bertrand Blier, d'après son roman. 

# Fantasme médical

Philippe Noiret à Thierry Lhermitte dans ***Tango*** (1993).

Tu sais ce qu'on dit ? Médecins sans frontières, infirmières sans culotte !

Écrit et réalisé par Patrice Leconte avec la collaboration à l'écriture de Patrick Dewolf. 

336

## Les bagarreuses

Brigitte Bardot à Claudia Cardinale dans ***Les Pétroleuses*** (1971).

(*Venant de se battre l'une contre l'autre.*)

— Oh ! Quelle bagarre ! Rien de tel pour l'appétit.
— Et pour l'estime. Vous avez une droite formidable !
— Votre gauche n'est pas mal non plus.
— Si on s'était connue plus tôt…
— On se serait cognées pour le plaisir !

Réalisé par Christian-Jaque, scénario de Eduardo Manzanos Brochero, scénario, adaptation et dialogues de Marie-Ange Aniès, Daniel Boulanger, Clément Bywood et Jean Nemours d'après une histoire originale de Eduardo Manzanos Brochero. 

## Nostalgie de jeunesse...

Francis Blanche à Hardy Kruger dans ***La Grande Sauterelle*** (1967).

J'espère jeune homme que vous aimez les putains.
La putain est indissociable des choses de la mer.
Je ne conteste pas qu'elle vérole un peu le matelot
mais elle enjolive la conversation !

Réalisé par Georges Lautner, Vahé Katcha, dialogues de Michel Audiard. 

## Mat en un coup !

Michel Piccoli à Jean-Pierre Marielle dans ***Les Acteurs*** (2000).

Je trouve un homme en pyjama dans la chambre de ma femme, y'a pas besoin d'être champion d'échecs pour comprendre !

## De la meringue aux menottes !

Guillaume Canet à Vincent Moscato dans ***Un Ticket pour l'espace*** (2006).

— C'est donc après France/Allemagne 82 que vous avez décidé de travailler dans la sécurité ?
— J'ai vu Schumacher entrer dans Batiston, je me suis dit qu'on pouvait pas laisser des choses comme ça se reproduire ! J'ai arrêté la pâtisserie. Je suis devenu vigile !

Réalisé par Éric Lartigau, Pierre-François Martin Laval et Fredéric Proust, scénario original et dialogues de Kad et Olivier, et Julien Rappeneau. 

## Il ne pense qu'à ça !

Claude Brasseur à Agostina Belli dans ***Le Grand Escogriffe*** (1978).

— Vous savez à quoi je pense… ?
— Est-ce qu'il y a des moments où vous n'y pensez pas ?
— Oui, quand je le fais !

Réalisé par Claude Pinoteau. Scénario et adaptation de Jean Herman, Claude Pinoteau et Michel Audiard, d'après le roman de Rennie Airth, dialogues de Michel Audiard. 

## Du rififi dans la distillerie

Horst Frank à Lino Ventura dans ***Les Tontons flingueurs*** (1963).

On a mis deux chimistes sur le problème, des spécialistes. Le whisky qu'ils ont tiré de l'admirable calvados de Normandie s'est révélé non seulement toxique, ce qui n'était pas grave, mais absolument imbuvable, donc invendable. Même à des marins américains ! Si je vous disais qu'on essuie des refus même en-dessous de l'Équateur. Il y a des jours où ça devient vexant…

Réalisé par Georges Lautner, scénario de Geoges Lautner et Albert Simonin d'après son roman *Grisbi or not grisbi*, dialogues de Michel Audiard. 

## Ça doit faire mal !

Claire Bouanich à Michel Serrault dans ***Le Papillon*** (2002).

— Tu sais comment il est mort le capitaine Crochet ?
— Je déteste les devinettes.
— En se grattant les couilles !

## Tranquille !

Jean Gaven à Jean Gabin dans ***Le Pacha*** (1968).

— Émile, c'est le mec tranquille.
— Oui je sais, on vit dans un monde tranquille. Les Peaux Rouges se flinguent entre eux tranquillement. Albert a été dessoudé tranquillement et ton pote Émile va braquer un train postal tranquillement… Et ben moi, tous tes pères tranquilles, j'en ai ras le fion !

Réalisé par Georges Lautner. Adapté du roman de Jean Laborde Pouce, par Michel Audiard et Georges Lautner, dialogues de Michel Audiard. 

## 344

## Cléopâtre Vs César

Monica Bellucci à Alain Chabat dans ***Astérix & Obélix : mission Cléopâtre*** (2002).

— Jusqu'à nouvel ordre, ô César, ce ne sont pas les Romains qui ont construit les pyramides.
— Les trucs pointus là ?
— Et le Sphinx ? Et la tour de Pharos ? C'est quoi ? De la gnognotte ?
— Oui, enfin, ça date pas d'hier, hein…
— Que ce soit hier ou aujourd'hui, mon peuple est le plus grand de tous les peuples !
— Dis-donc, ton peuple, ton peuple ! T'es quand même Grecque, au départ. Alors comme Égyptienne de souche, j'ai vu mieux, excuse-moi…

Écrit et réalisé par Alain Chabat d'après l'œuvre de René Goscinny et Albert Uderzo. © Katharine/Renn Productions/Chez Wam.

## Un Mauvais fils

François Perrot à Patrick Bruel dans ***Le Jaguar*** (1996).

— J'ai un fils qui vous ressemble.
— Ah bon ?
— Oui, même âge, même charme, même culot…
— Vraiment ?
— Ce petit fumier n'a pas arrêté de m'emmerder depuis qu'il est en vie. Il est menteur, voleur, coureur, buveur, je crois même qu'il se drogue. Il est assez con pour ça. J'ai eu envie de le tuer cent fois, mais c'est pas possible, sa mère le protège. J'peux rien faire…

346

## Petit déjeuner compris

Bérénice Bejo à Jean Dujardin dans ***OSS 117 : le Caire, nid d'espions*** (2006).

— Bien dormi ?
— Oui, très bien merci. J'ai fait un rêve merveilleux. J'ai rêvé qu'une femme sublime aux yeux marron m'apportait mon petit déjeuner au lit.
— Vous dites ça à toutes les femmes ?
— Non, seulement aux femmes sublimes aux yeux marron qui m'apportent mon petit déjeuner au lit !

Réalisé par Michel Hazanavicius, scénario de Jean-François Halin, d'après le roman éponyme de Jean Bruce, adaptation et dialogues de Jean-François Halin et Michel Hazanavicius. 

## Qu'est-ce qu'ils ont, les Grecs ?

Maurice Biraud dans ***Un Taxi pour Tobrouk*** (1960 ).

Mon père est à Vichy. C'est un homme qui a la légalité dans le sang. Si les Chinois débarquaient, il se ferait mandarin… Si les nègres prenaient le pouvoir, il se mettrait un os dans le nez ! Si les Grecs…

## Profession : escroc !

Jean-Paul Belmondo dans ***Le Guignolo*** (1979).

Un marchand de tableaux est un voleur inscrit au registre du commerce !

Réalisé par Georges Lautner. Scénario de Jean Herman, dialogues de Michel Audiard. © Gaumont / Cérito.

## Question de terminologie...

Henri Guybet à deux policiers aux méthodes musclées dans ***Est-ce bien raisonnable ?*** (1981).

— Je suis bon pour l'arrêt de travail ! Je croyais que vous aviez plus le droit de dérouiller les gens...
— C'est le passage à tabac qui est défendu. Ça c'est autre chose, c'est un interrogatoire psychologique.
— Et ça change quoi ?
— Ça s'appelle plus pareil !

Réalisé par Georges Lautner, dialogues de Michel Audiard. 

## Tous derrière toi...

Le leader homosexuel à François-Xavier Demaison dans ***Coluche, l'histoire d'un mec*** (2008).

— Faut savoir qu'on est trois millions d'homosexuels en France. Et la gauche, elle refuse de nous soutenir. Et tu sais pourquoi ?
— Non.
— De peur d'effrayer son électorat traditionaliste. Alors si toi tu nous soutiens ouvertement, je peux te jurer, on est tous derrière toi.
— Pas trop près alors !

Réalisé par Antoine de Caunes, scénario et dialogues de Diastème et Antoine de Caunes. 

## Une vie entière au lit…

Martine Carol à Charles Boyer dans ***Nana*** (1955).

À quel titre demandes-tu des comptes ? T'es-tu jamais dit, "Cette petite Nana, quels sont ses moyens d'existence ?". Eh bien, tu les as devant toi, mes moyens d'existence ! Ils vont de ma tête à mes pieds… Tu m'aimes et après ? T'es pas le seul et si je devais être la maîtresse de tous les hommes qui prétendent m'aimer, je passerais ma vie au lit !

Réalisé par Christian-Jacque. Scénario de Jean Ferry, Henri Jeanson, Christian-Jacque et dialogues d'Henri Jeanson, d'après le roman d'Emile Zola. 

## Parfaite définition de l'enfer !

Sophie Liège à Vincent Limitès dans ***Marie-toi !*** (2009).

— Qu'est-ce que tu attends pour te marier ? Si tu continues, tu finiras vieux garçon, maniaque et seul…
— Mais vous m'emmerdez tous avec vos clichés à deux balles ! Tu veux que je te dise, pour moi le mariage, c'est passer sa vie à régler à deux une tonne de problèmes que j'aurai jamais tout seul !

Écrit et réalisé par Gérard Mentis. © La Prod.

## Erreur méridionale !

Paul Préboist et Robert Porte dans ***Tartarin de Tarascon*** (1962).

— L'homme du Midi ne ment pas…
— Il se trompe !

Réalisé par Francis Blanche, adapté du roman d'Alphonse Daudet par Yvan Audouard et Francis Blanche.

## La médecine des sentiments ?

Charpin à Mouriès dans ***Fanny*** (1932).

*(Parlant de la peine de César suite au départ de Marius...)*

— Il se garde tout son chagrin sur l'estomac alors ça fermente, ça se gonfle et ça l'étouffe.
— Au fond voyez-vous, le chagrin c'est comme le ver solitaire, le tout c'est de le faire sortir !

Réalisé par Marc Allégret, écrit par Marcel Pagnol d'après son œuvre. 

## Une femme de tête...

Mélanie Doutey à Jean Dujardin dans ***Il ne faut jurer de rien !*** (2005).

Quand vous serez grand, vous vous apercevrez que tout en haut du corps d'une femme, il y a une tête !

Réalisé par Éric Civanyan, scénario et dialogues de Philippe Cabot et Éric Civanyan, d'après l'œuvre d'Alfred de Musset. 

356

## Traduction simultanée...

Jean-Pierre Léaud à Jean-François Stévenin dans ***La Nuit américaine*** (1973).

Dans la vie, quand une femme te dit : "J'ai rencontré des êtres exceptionnels", ça veut dire simplement "je me suis tapé un tas de types !"

Réalisé par François Truffaut, scénario et dialogues de Jean-Louis Richard, Suzanne Schiffman et François Truffaut.

## Ange ou démon ?

Coluche dans ***La Femme de mon pote*** (1983).

Quelle différence y'a entre un salaud et un type bien ? C'est que le type bien, il a pas les couilles d'être un salaud, pis c'est tout ! Moi par exemple qui suis dégonflé de nature, je suis condamné à être un type bien toute ma vie !

358

## Une liaison ou un polichinelle ?

Josiane Balasko à Anémone dans ***Le Père Noël est une ordure*** (1982).

Vous ne connaissez pas les hommes Thérèse. Croyez-moi, homme en retard, liaison dans le tiroir ! Et je sais de quoi je parle…

Réalisé par Jean-Marie Poiré. Adaptation et dialogues de Jean-Marie Poiré et Josiane Balasko, Marie-Anne Chazel, Christian Clavier, Gérard Jugnot, Thierry Lhermitte et Bruno Moynot d'après la pièce éponyme, par l'équipe du Splendid. 

## Tout *Juste* !

Jacques Villeret à Thierry Lhermitte dans ***Le Dîner de cons*** (1998).

*(Ils s'apprêtent à appeler un certain Juste Leblanc…)*

— C'est quoi son numéro ?
— Je vais le faire moi-même. Il s'appelle Juste Leblanc.
— Ah bon ! Il n'a pas de prénom ?
— Je viens de vous le dire, Juste Leblanc !
— *(L'air con…)* ?
— Leblanc c'est son nom et c'est Juste, son prénom. Monsieur Pignon, votre prénom à vous c'est François, c'est juste ?
— Mmoui…
— Eh bien, lui, c'est pareil, c'est Juste !

**360**

## Bonheur / pétrole : même combat, faut pas gâcher.

Marc Jolivet à Pierre Jolivet dans ***Alors, heureux ?*** (1979).

Le bonheur, c'est pas inépuisable. Si tout le monde s'en sert abusivement, tu sais ce qui va se passer ? C'est comme le pétrole, y'a un jour où il n'en restera plus !

## *No smoking !*

Mélanie Doutey à Philippe Lefebvre dans ***Ce soir je dors chez toi*** (2007).

— Excusez-le. Il arrête de fumer alors, du coup, ça le rend un peu…
— Nerveux ?
— Non, non. Con !

Réalisé par Olivier Baroux, adaptation et dialogues de Michel Delgado et Jean-Paul Bathany, librement adapté des bandes dessinées de Dupuy et Berberian *Monsieur Jean*. 

## Belle… et cultivée ou pas ?

Charlotte Gainsbourg à Alain Chabat dans ***Prête-moi ta main*** (2006).

*(Charlotte Gainsbourg doit jouer l'épouse idéale d'Alain Chabat…)*

— Et à part ça, elle fait quoi, votre femme parfaite ?
— Ben, elle a pas de tatouage, déjà. Donc, faudra cacher ça. Puis, sinon, voilà, cheveux propres, ongles faits, délicate, féminine… Enfin, le minimum pour une femme.
— Je sais lire ou pas ?

Réalisé par Éric Lartigau, scénario de Laurent Zetoun, Philippe Mechelen, Grégoire Vigneron, Laurent Tirard et Alain Chabat. 

## Viva Madonna !

José Garcia à Ruppert Everett dans ***Poeple, Jet set 2*** (2004).

— *Hello, sweet Prince* ! *Did you sleep well*, dans la *guest room* de Madonna ?
— *Like a Virgin* !

Réalisé par Fabien Onteniente, scénario de Fabien Onteniente, Emmanuel de Brantes, Philippe Guillard et Manu Booz, adaptation et dialogues de Fabien Onteniente, Emmanuel de Brantes et Manu Booz. 

**364**

## Le mâle français voyage mal...

Éva Darlan à Coluche dans ***Banzaï*** (1983).

*(Parlant de Hong Kong…)*

— C'est extraordinaire comme ville. C'est exactement comme ça que je l'imaginais, ça vit, ça grouille…
— … Ça pue ! On dirait la gare Saint-Lazare aux heures de pointe avec en plus, le tétanos, le typhus et la chiasse. C'est formidable !

Écrit et réalisé par Claude Zidi. Adaptation et dialogues de Didier Kaminka, Michel Fabre et Claude Zidi.

## Drôle de consolation !

Vincent Elbaz à Gilles Lellouche dans ***Ma Vie en l'air*** (2005).

— Je m'en remettrai jamais, Ludo, je sais. Tu te rends compte que j'ai laissé s'envoler la femme de ma vie ?
— Mais, attends Yann, regarde… Souviens-toi des cours de bio de Madame Beroutin. Une femme c'est quoi ? 95 % d'eau. D'la flotte !

# Index des films

## 0-9

3 zéros ....74, 133, 198, 248
99 francs ....18

## A

Acteurs (Les) ....22, 80, 218, 316, 338
Ah ! Si j'étais riche ....281
Alexandre le bienheureux ....264
Alliance cherche doigt ....76
Alors, heureux ? ....160, 360
Antidote (L') ....26, 81
Archimède le clochard ....89, 196, 260
Association de malfaiteurs ....82, 317
Astérix & Obélix : mission Cléopâtre 21, 79, 344
Atomik Circus ....91, 208
Auberge espagnole (L') ....31
Aventures de Rabbi Jacob (Les) ....117, 240, 315

## B

Banzaï ....12, 125, 169, 219, 364
Barbouzes (Les) ....15, 154
Barnie et ses petites contrariétés ....88
Bernie 268
Bienvenue chez les Ch'tis ....3, 227, 270, 326
Bienvenue chez les Rozes ....97, 180, 270, 310
Bison (Le) ....35, 95, 157, 232
Boulet (Le) ....38, 96, 179
Bronzés (Les) ....23, 90, 197, 243
Buffet froid ....61, 214

## C

Cage aux folles (La) ....33
Calmos ....101, 234, 291
Carambolages ....54, 178, 216, 278
Cave se rebiffe (Le) ....56, 130, 217
Ce soir je dors chez toi ....244, 280, 361
C'est arrivé près de chez vous ....34, 311
Chèvre (La) ....59, 94, 156, 309
Chouchou ....8, 155, 233, 312
Cité de la peur (La) ....27, 105, 231, 303
Coco ....110
Coco avant Chanel ....205
Cœur des hommes (Le) ....331
Coluche, l'histoire d'un mec ....350

Combien tu m'aimes ....................................99
Comme t'y es belle ! ......................68, 206, 251
Comme une image ..........................................5
Compères (Les) ..................28, 46, 92, 285, 313
Confiance règne (La) ..................................158
Confidences trop intimes .........................32, 93
Copie conforme ............................................43
Côtelettes (Les) ...................................190, 191
Cousin (Le) ................................................279
Cuisine et Dépendances ...............................161

# D

Débandade (La) ...........................................306
Déclin de l'empire américain (Le) 164, 192, 269
Demoiselle d'honneur (La) ..........................112
Derrière (Le) ...............................................115
Didier .........................................................167
Dîner de cons (Le) .......................................359
Disco ..........................................................100
Duos sur canapé ..................................135, 193

# E

Effroyables jardins .......................................328
Éléphant ça trompe
énormément (Un) .........................19, 189, 209
Elle cause plus… elle flingue .........................321
Elle et moi ...................................................323
Embrassez qui vous voudrez ...................75, 146
Emmerdeur (L') ...................................47, 111
Entre onze heures et minuit .........................118
Eros thérapie ...............................................249
Erreur de la banque en votre faveur ..............57
Est-ce bien raisonnable ? ..............................349
Et la tendresse bordel ! ................................319
Ex-femme de ma vie (L') ................60, 139, 185

# F

Fabuleux Destin d'Amélie Poulain (Le) ...........13
Fanny .....................................98, 181, 290, 354
Faut pas prendre les enfants du bon Dieu
pour des canards sauvages .....................45, 131
Femme de mon pote (La) .....................159, 357
Fleur d'oseille ..............................................229
Folie des grandeurs (La) .........................83, 147
Fugitifs (Les) .................................................49

# G

Galettes de Pont-Aven (Les) .........................113
Garde du corps (Le) .....................................173
Gentleman d'Epsom (Le) ................................36

Glaive et la Balance (Le) ....41, 314
Gomez et Tavarez ....299
Grand Escogriffe (Le) ....340
Grande Sauterelle (La) ....337
Grandes Familles (Les) ....200
Guignolo (Le) ....186, 348

# H

Homme idéal (L') ....51, 301, 325
Homme pressé (L') ....103
Hôtel du Nord ....87
Hussard sur le toit (Le) ....283

# I

Idiot à Paris (Un) ....84, 108
Il ne faut jurer de rien ....355
Ils se marièrent et eurent beaucoup d'enfants ....166, 239, 271, 287
Indien dans la ville (Un) ....329
Invité (L') ....42, 152, 230

# J

Jaguar (Le) ....345
Janis et John ....116
Jean-Philippe ....102
Je ne sais rien mais je dirai tout ....71, 204
Je préfère qu'on reste amis ....40, 106, 163, 194, 236, 302
Je règle mon pas sur le pas de mon père ....226
Je suis timide mais je me soigne ....266
Jet Set ....115, 168
Je vous trouve très beau ....242, 324
Jumeau (Le) ....120
J'veux pas que tu t'en ailles ....184, 275

# L

Liaison pornographique (Une) ....177
Libertin (Le) ....322
Lions sont lâchés (Les) ....258

# M

Ma femme est une actrice ....143
Ma femme s'appelle Maurice ....58
Ma Vie en l'air ....122, 187, 224, 261, 289, 365
Majordome (Le) ....25
Marche à l'ombre ....16, 176, 267
Mariages ....320
Marie-toi !....352
Marius ....4, 50
Maxime ....195

Mélodie en sous-sol ........................................183
Mes Meilleurs Copains ........................298, 332
Miraculé (Le) ..................................................78
Mon idole ............................124, 215, 259, 297
Monique ....................................221, 257, 286
Mon père, ma mère,
mes frères et mes sœurs ..........................17, 55
Morsures de l'aube (Les) ......223, 256, 288, 333
Moustache (La) ...............................................220

## N

Nana ........................................................37, 351
Narco ..............................................................73
Ne nous fâchons pas ......................................172
Ni pour, ni contre
(bien au contraire) ..................72,121, 225, 265,
Nos Enfants chéris .............................................52
Notre Univers impitoyable .....................69, 203
Nous irons tous au paradis ...................201, 262
Nuit américaine (La) .......................................356

## O

On a retrouvé la 7e compagnie .....................145
On ne meurt que deux fois ..........................129
OSS 117 : Le Caire, nid d'espions ..14, 127, 346

## P

Pacha (Le) .......................................24, 250, 343
Palais royal ...................................107, 165, 238
Papillon (Le) ..................................................342
Pari (Le) ........................................126, 170, 296
Paroles et Musique ...............................123, 295
Pas de problème ............................................330
Pédale douce .................. 10, 70, 128, 171, 188,
255, 277, 294, 327
People, Jet set ............................................2 363
Pépé le moko .....................................................29
Père Noël
est une ordure (Le) ....2, 77, 144, 167, 228, 358
Petite Vertu (La) ..................................................11
Pétroleuses (Les) ............................................336
Pot-bouille .......................................85, 182, 247
Prête-moi ta main .........109, 162, 241, 273, 362
Prince du Pacifique (Le) ....................................63
Prix à payer (Le) ..............................................318

## Q

Quai des brumes (Le) ....................................305
Quart d'heure américain (Le) .........................284
Quatre Étoiles .......................................150, 308

Quelqu'un de bien ..............................246, 274

## R

RRRrrrr !!! ..................................................9
Retour de manivelle ....................................318
Ripoux (Les) ..........................20, 119, 213, 254
Robert et Robert .........................................307
Romaine par moins trente .............................86
Roman de Lulu (Le) ........................................65

## S

Saint Jacques… La Mecque .........................153
Saint prend l'affût (Le) .................................148
Série noire ...................................................272
Seuls Two ..........................................104, 235
Soupe aux choux (La) ............................67, 207

## T

Tango .........................................39, 222, 335
Tartarin de Tarascon ...................................353
Taxi pour Tobrouk (Un) ......................132, 347
Tel père, telle fille ........................................53
Tenue de soirée .............................................48
Ticket pour l'espace (Un) .....211, 253, 292, 339
Tontons flingueurs (Les) .......................142, 341
Totale (La) ..........................................134, 199
Touchez pas au grisbi ......................................64
Toute la beauté du monde ............................141
Trafic d'influence ..........................44, 136, 202
Travaux, on sait quand ça commence ..........263
Tu vas rire, mais je te quitte .........................245

## V

Valseuses (Les) .............................................334
Vélo de Ghislain Lambert (Le) ...............62, 212
Vérité si je mens ! (La) .......................6, 66, 175
Vérité si je mens ! 2 (La) .........30,140, 252, 293
Veuve de Saint-Pierre (La) ...........................138
Veuve en or (Une) .........................................282
Vive la France ...............................................174
Vous n'avez rien à déclarer ? .......................237

## W-Z

Wasabi ...........................................................1, 210
Yeux de l'amour (Les) ..................................276
Zèbre (Le) ..................................................7, 137
Zig Zag Story .......................................151, 304

Directrice générale : Fabienne Kriegel
Éditrice : Nathalie Lefebvre
Suivi d'édition : Flavie Gaidon
Directeur artistique : Camille Durand-Kriegel
Recherches documentaires : Sophie Boyens
Lecture-correction : Véronique Haguenauer
Fabrication : Amandine Sevestre et Alice Le Flahec

Achevé d'imprimer en Italie chez EUROPRINTING.
Dépôt légal : septembre 2009
ISBN : 978-2-81230-125-4
34/2287/0-01